DON JUAN TENORIO

AUSTRAL  TEATRO

JOSÉ ZORRILLA

DON JUAN TENORIO

PRÓLOGO
FRANCISCO NIEVA

EDICIÓN Y GUÍA DE LECTURA
JUAN FRANCISCO PEÑA

AUSTRAL TEATRO

Primera edición: 30-XI-1940
Cuadragésima primera edición (sexta en esta presentación): 4-II-2009

Diseño de cubierta: Joaquín Gallego
Preimpresión: MT Color & Diseño, S. L.

Depósito legal: M. 5.937—2009

ISBN 978—84—670—2169—1

Espasa, en su deseo de mejorar sus publicaciones, agradecerá cualquier sugerencia que los lectores hagan al departamento editorial por correo electrónico: sugerencias@espasa.es

Impreso en España/Printed in Spain
Impresión: Unigraf, S. L.

Editorial Espasa Calpe, S. A.
Vía de las Dos Castillas, 33. Complejo Ática - Edificio 4
28224 Pozuelo de Alarcón (Madrid)

ÍNDICE

DON JUAN TENORIO
Drama religioso-fantástico en dos partes

PARTE PRIMERA

PARTE SEGUNDA

PRÓLOGO

de Francisco Nieva

El mito de don Juan es suficientemente expansivo para que no intentemos dar su historia completa. Pero he aquí que el don Juan de Zorrilla ocupa una nueva situación en la evolución de nuestras ideas sobre el arte y la literatura. Ya no es preceptivo en nuestras costumbres que este drama romántico se represente cíclicamente por la fecha penitencial de los Santos y los Difuntos. Pero esta sacralización ritual de un mito a través de una obra dramática hace del poeta Zorrilla, a nuestros ojos, un raro fenómeno literario y social, del que debemos hacer exégesis a la vez que análisis. Debemos justificar y aceptar su éxito, de incontrolable resonancia en nuestro ambiente teatral. El mito de don Juan «padece» bajo el tratamiento de Zorrilla de una evolución que lo conduce conceptualmente a un entibiamiento, bajo capa de salvación, de su patente de gran transgresor o de condenado por su propio gusto. Mas el drama de Zorrilla es un producto romántico decantado y genial, algunos de cuyos efectos desmañados son en realidad una forma casi onírica de síntesis dramática y de un mundo propio expresado con pasmosa ligereza y facilidad.

Pero antes de entrar en la materia nos importa intuir cuál es el papel de don Juan en nuestro propio mundo, hasta qué punto pertenece a él.

UN AMAGO DE ENSAYO PARA EMPEZAR: «¿VIVE DON JUAN?»

En las obras de arte concurren muchos factores imponderables y fenómenos que no nos es dado examinar aquí, pero es indudable que son desahogos de la represión civilizadora y surgen de la fundamental amoralidad de la visión estética. Desahogos permitidos —¿hasta qué punto?, se pregunta uno pensando en *Las flores del mal* o *Madame Bovary*— dentro de unos determinados cánones. La habilidad de muchos artistas estriba en exponer ese producto concupiscente en términos suficientemente aceptables. La exposición de los instintos, los pecados asociales, la innata violencia del ser humano sirve de lenitivo a la exigencia moral de las costumbres. Recordemos a Freud y a su famoso complejo edípico: alguna vez se mató materialmente al padre; luego bastó con la reproducción imaginaria del suceso para crear el sentido de culpabilidad. Esta tentación desaforada y asesina se cumple idealmente en el teatro; la rebeldía, la desobediencia del héroe —rebeldía frente a los dioses del super-yo— son la carne y la sangre de los argumentos teatrales. El espectador identificado con el héroe se rebela y desobedece como él en la celebración permisiva de todos los excesos que es el arte del teatro. No hay que olvidar nunca que su mentor supremo es Dionisos. Aun en el teatro más moralizante se descubre una máscara que magnifica los deseos culpables y se cumple por el espectador un designio vengativo hacia ellos por lo que atraen. La delectación vengativa del teatro moralizante es también el cumplimiento ideal de una tentación que se cumple en la escena: adueñarse del otro, a servirlo.

Hay mitos que mueren. Como también hay mitos que mueren y renacen. El mito de don Juan cumple su agonía presunta en estos años finales del milenio. ¿Se muere o se decanta? Veamos cómo y hasta qué punto sucede esto con don Juan.

En la estructura del mito de don Juan concurren elementos varios de una cultura judeocristiana que le van dando forma.

El temor a los muertos, un temor culpable [illegible] que es naturalmente temor al dios-padre, al ju[illegible] desafío a los muertos es una rebeldía ante la au[illegible] dre, seguida de su expiación consecuente con el [illegible] ral. Se diría en principio que esa cultura judeocri[illegible] me-diatiza para nada unos instintos tan primitivos, pero nos ahorraremos muchas consideraciones si pensamos, en primer lugar, que el mito de don Juan es impensable en la cultura clásica grecorromana. Sólo la conciencia cristiana ha sido capaz de crearlo.

Pero he aquí que en los tiempos modernos, el poder represor del proto-padre, el principio de autoridad moral, se ha secularizado tanto que ha suplantado a Dios en una gran parte de la conciencia humana. Se ve muy claro que las órdenes represoras, de economía de la agresividad a la vez creadora y destructora del ser humano, emanan hoy de todo poder político y que la Iglesia es un poder político más o hubiera muerto indefectiblemente de no ser así. El hombre seguirá lleno de supersticiones y de terrores subconscientes, pero la evolución de la cultura le permite sustituirlas o, como ahora se diría, desactivarlas. El mito de don Juan se desactiva en cierta medida en la conciencia de los espectadores contemporáneos simplemente porque las tentaciones transgresoras han cambiado de signo y de objetivo. La encarnación ideal o material del principio del mal o de la venganza del padre legislador se aloja en otros ámbitos. Y eso no es todo: la ciencia contemporánea, la filosofía desde Nietzsche, la medicina, analizando —como Freud— la vaporosa y ambigua conciencia del hombre y sus mecanismos cerebrales, alejan a éste cada vez más del arcaísmo de algunos reflejos. El hecho de que en nuestras costumbres no figura cíclicamente esa representación del DON JUAN TENORIO de Zorrilla, revela muy bien que el desahogo transgresor de nuestra sociedad se cumple ante productos mucho más activos. El temor a la venganza de los muertos, del más allá, se refleja con una desmesura infantil en las películas de terror, casi todas más bien adscritas a la serie B. Comprendemos y alabamos «la universalidad» de este Tenorio zorrillesco haciendo partícipes a una vieja portera y a un gomoso de finales de siglo de las mismas emociones asumidas de distinto modo. Pero no es menos claro que este dominio popular del mito no se cumple ya. Ahora por el contrario, como si esto fuese una compensación, nos admiramos más de la calidad teatral, en abstracto, que concurre en el mejor drama romántico de nuestra literatura que nos conmovemos con su mensaje transgresor. Con la permisividad sexual de nuestra época es casi imposible que nos alteren las demasías del Tenorio. Cierto que debe de haber algo imperecedero en el mito de don Juan, pero ya lo hay en otro plano de la conciencia y ha pasado más bien a formar parte de la conciencia estética.

*

No olvidemos que el mito de don Juan se produce en el seno de la cultura del barroco, cuyas virtudes formales y expresivas dieron cuerpo a nuestro mejor teatro. El espíritu del barroco pervive todavía, como raíz, en cualquier acercamiento a don Juan. A su vez, nuestro barroco refunde cantidad de valores medievalistas. El barroco es un sistema tan cerrado y de tan inmutables pretensiones que, para poder expresarlo todo, recurre a formas muy aquilatadas de... ambigüedad. Así es posible que *Fuente Ovejuna* de Lope sea, al mismo tiempo que una ofensiva al orden barroco, una afirmación de él. Ésta es la incontrolable permisividad del arte de todos los tiempos: el submensaje contradictorio y la polivalencia que salta las barreras de la convención moral. Desde que don Juan se manifiesta de cuerpo entero en la obra de Tirso de Molina hasta Zorrilla, pasando por Lorenzo de Ponte y Mozart y los innumerables donjuanes que remacharon el mito, todos mantienen como telón de fondo de la conciencia un orden de valores deudores de la cristiandad barroca. Más cerca de ello se encuentra el don Juan de Molière que del espíritu de la Ilustración, a pesar de sus perfiles «libertinos» externos. Los mitos no son tan gaseosos ni tan alterables. Lo que Molière o Mozart añaden no es más que el genio expresivo de su condición. No renuevan el mito sino que lo perpetúan, que es una forma de renovación. Dicho esto, quien no descubra un principio de erosión del mito de don Juan en la ruptura cultural que producen tanto el marxismo como el psicoanálisis vive demasiado aferrado a convenciones estéticas desligadas de toda realidad. Lo que realmente está sucediendo en estos momentos con el mito de don Juan es un fenómeno de nostalgia o aferramiento hacia un inmediato pasado en donde la conciencia culpable del hombre aún no había cambiado de dueño, si podemos decirlo así. Bajar a los infiernos del *underground* en cualquiera de nuestras grandes ciudades nos hace ver cuánto de amaneramiento y falsedad concurren hoy en la exaltación y glosa del mito de don Juan. Ante la incógnita de un futuro que dominará el padre-robot y el castigo robotizado de la transgresión individualista, el siglo XX se despide con la práctica consoladora del «revival» edulcorado de terrores y tentaciones añejos. Muchas y muy brillantes cosas le quedaban a nuestro Ortega y Gasset que decir sobre don Juan y el donjuanismo, pero nada importante se les hubiera ya ocurrido respecto al tema a Michel Foucault y a Jean Genet. Mal que nos pese —todas las cosas cumplen su ciclo—, don Juan deambulará siempre por un mundo de costumbres y creencias que no son precisamente las de nuestro tiempo en un sentido estricto. Una muestra de misticismo estético destinado es pensar que el don Juan de Mozart, por encima del genio que anima sus formas musicales en abstracto, trasciende moralmente su tiempo que es el siglo XVIII. Flaco servicio se le hace a Mozart atribuyendo a su obra ese camaleonismo dialéctico y ético y ese servicio «para todo».

A través de numerosas publicaciones sobre el mito de don Juan vemos un empeño un tanto desgarrador en hacer que se prolongue su «actividad» sobre el inconsciente colectivo contemporáneo, cuando lo que en realidad sucede es que se presiente de un modo confuso que don Juan se vacía como mito y se decanta como símbolo o signo [1]. La transgresión de don Juan se cumple en un área de teologismo cristiano, entre unos seres modelados en él, en el espacio vital e histórico de lo que para nosotros ya es un hombro-otro. Cuanto en ese área le ocurra por dentro y por fuera de su alma al don Juan clásico, no le puedo ocurrir ya al hombre contemporáneo. Ni don Quijote ni Fausto pasan por semejante agonía, puesto que no son tan deudores de ese orden teológico barroco. En la reacción de unos contendientes modernos veríamos hasta qué punto ya no vive don Juan.

UN DRAMA ROMÁNTICO SINGULAR

No es culpa mía. Las leyes del arte se han transformado y las críticas más escrupulosas o más acerbas hacia el drama de Zorrilla se han evaporado, han quedado vacías de sentido. Eso no quiere decir que la obra de Zorrilla haya ganado, pero se la ve desde otros presupuestos y, sin duda, merece otra sanción. Los famosos ripios que encocoraban a los puristas son totalmente desdeñables, puesto que la entidad de la obra de arte se ha vuelto más independiente y se la juzga más por su autonomía que por su sumisión a las reglas, más por la unidad total de sus trazos que por la perfección —¿referida a qué?— de sus detalles.

Oigamos a Theodor W. Adorno: «Ha llegado a ser evidente que nada referente al arte tiene evidencia ni en sí mismo ni en su relación con la totalidad, ni siquiera en su derecho a la exis-

---

[1] Hay factores históricos muy curiosos en el último «revival» de don Juan. El viejo TNP, dirigido por Jean Vilar con gran esfuerzo de puesta al día en cuestiones de ideología y de forma, halló uno más de sus muchos éxitos con la reposición de la obra de Molière. París y toda Francia vivió en aquella época una envidiable fiebre teatral. Quizá a partir de ahí —exceptuando la tradición operística, que desde mucho tiempo atrás contaba con la constante representación de la obra de Mozart y Da Ponte— se operó una contaminación internacionalista del tema. La revista *Obliques,* trimestral, París, 1974, da buena cuenta de ello. A distancia, se comprueba el secuestro intelectual de don Juan y su transformación minimizante de mito a signo.

tencia. El arte no es una hermosa morada, sino una tarea para estar tratando siempre de solucionarla, tanto en su producción como en su aceptación»[2]. Puede asentirse con él que la historia del arte es la historia de su autonomía en progresión. Por otra parte, «ha venido dándose hasta hoy la tendencia [...] a percibir el arte de forma extraestética o preestética; aunque esta idea es bárbara, retardataria o responde a una necesidad de retrógrados, hay, sin embargo, algo en el arte que está de acuerdo con ella: si se quiere percibir el arte de forma estrictamente estética deja de percibirse estéticamente. Únicamente en el caso de que se perciba lo otro, lo que no es arte, y se lo perciba como uno de los primeros estratos de la experiencia artística, es cuando se lo puede sublimar...»[3].

No tenemos por qué echar mano de otros profesores jurados de Estética. Adorno, uno de los grandes de la escuela de Frankfurt, ha definido las nuevas posiciones respecto al arte con suficiente claridad, a pesar de lo complejo de su material. Hoy se crean obras de arte plenamente conscientes de tales posiciones y deliberadamente así, pero hoy también se juzga que toda obra de arte ha poseído esa autonomía —condicionada a su apreciación o asunción social— y se la juzga como un microsistema unitario dentro de su armonía o desarmonía. Respecto al drama de Zorrilla, demos incluso de lado el mito que supuestamente lo sostiene y juzguémoslo como artefacto de la imaginación que surte un efecto determinado ante los espectadores de una y otra época. Por mucho que Zorrilla adopte normas y exprese influencias y manieristas plagios, su drama es una unidad independiente de todos ellos y su fuerza expresiva se debe a lo heterogéneo del precipitado, a la formulación última.

No pueden achacarse a Zorrilla «defectos» de forma, porque sólo pueden tener «su forma» y por sus leyes autónomas de forma lo debemos juzgar. Y apreciar, si llega el caso.

---

[2] Theodor W. Adorno, *Teoría estética,* Taurus, Madrid, 1976.

[3] Todos estos conceptos figuran en el capítulo prologal de su *Teoría,* titulado «Arte, sociedad, estética».

Si aún recordamos a nuestro grande y epigonal Ortega, recordaremos también su angustia ante lo que él denominó «deshumanización del arte», fenómeno en progresión y evolución incesante respecto de las categorías sostenidas por él. Oigamos otra vez a Adorno: «Ninguna categoría, por única y escogida que sea, ni siquiera la categoría estética central de la ley formal, puede constituir la esencia del arte ni es suficiente para que se emitan juicios sobre sus obras [...]. La estética hegeliana del contenido ha reconocido ese momento inmanente al arte que es su ser-otro y ha sobrepujado a la estética formal, que aparentemente opera con un concepto más puro del arte». No cabe duda de que lo expuesto por Adorno en su *Estética* es más complejo que todo lo dicho, pero esto es suficiente para tener presente este cambio fundamental de perspectiva, por lo cual ni la falta de «psicología» en los personajes propia del realismo burgués ni los ripios, contrasentidos o «irracionalidades» del drama de Zorrilla son acusables deméritos que empeñen su estructura formal autónoma. No nos ocupemos de ellos, los nuevos «antidictados» de la estética nos los escamotean, lo suprimen. ¿Por qué, a fin de cuentas?: para la nueva crítica es un principio metódico sostener que son «los últimos fenómenos los que deben arrojar su luz sobre todo el arte y no al contrario, como creen el historicismo y la filología, a los que agrada por su íntimo espíritu burgués que nada cambie» [4].

Buscando la máxima simplificación expondremos aquellos aspectos formales —o informales— que en algún sentido no han cambiado en el drama de Zorrilla y le confieren su entidad.

Pero veamos primero qué material interior maneja el autor de DON JUAN TENORIO para componer su nuevo drama.

Para algunos figura como primer caso, en el teatro español, la *Comedia del infamador,* de Juan de la Cueva, estrenada en Sevilla en 1581. El protagonista, Leucipo, sería el pre-don Juan. Mira de Amescua también pertenece a la prehistoria tea-

---

[4] *Op. cit.*

tral del mito, cuyo origen —aun con enorme proyección universal— es todo español. En *El negro del mejor amo,* Amescua inicia situaciones que se repetirán. Vélez de Guevara en *El Hércules de Ocaña* presenta otro episodio emparentado con *El burlador* de Tirso. En todo Lope abundaron los pasajes de intención donjuanesca. Él mismo era un poco don Juan, un hombre lleno de audaces deseos. El precedente más claro de *El burlador* de Tirso era otra comedia suya anterior: *Tan largo me lo fiáis.* Emilio Cotarelo expuso la opinión contraria, pero a nuestro caso nada importa: Zorrilla, sin adentrarse en orígenes más remotos con la esponjosidad para estas cosas que tenían los románticos, conocía de un modo profundo al personaje no sólo a través de Tirso, sino a través de toda la dramaturgia placentera y desafiante de Lope, de Antonio de Zamora: *No hay plazo que no se cumpla* y de tantos más que fabrican, estructuran, el mito de don Juan, uno de los productos reflejos más intensos del dominio de una cultura, de un universo divino y político bien cerrado, como fue el contundente barroco español. Esa especie de barroco-romántico que es la inflexión que mejor descubre, al menos, su originalidad. Diríamos que todos estos precedentes teatrales surten de un léxico a Zorrilla. En su DON JUAN TENORIO hay muchos dichos, muchas frases que había elaborado el donjuanismo español latente y la conciencia cristiana barroca, llena de fulgores de gloria y de culpa. Esto excita a Zorrilla al máximo, porque pone en sus manos un poco de inspiración en los instintos más arcaicos que hubiera envidiado el propio Byron [5].

Zorrilla pertenecía al ala conservadora del Romanticismo, no era un revolucionario como Espronceda, cuyo *Estudiante de Salamanca* es otro don Juan, más conflictivo. El manso Zorrilla tenía unos valores, adoptados por la propia actitud y

---

[5] El libro español de difusión *Hacia don Juan* —Biblioteca de Temas Sevillanos, Servicio de Publicaciones del Ayuntamiento de Sevilla, 1985—, firmado por Trinidad Bonachera y María Gracia Piñero, sostiene con razón esta tesis de la predisposición temática de Zorrilla «hacia su don Juan».

credo románticos, muy parejos a los del orbe barroco y al siglo XVII español. Una moral que nace de una estética. No es de pensar que Zorrilla creyese en la Inquisición, pero como tema de teatro le mantenía el mayor afecto. Era un Romanticismo tópico y por ello bien popular, porque coincidía con el alma aborigen del espectador de entonces. A pesar de nuestros Moratines y nuestros Martínez de la Rosa —todavía respetados—, nuestro público vibraba más ante el teatro de capa y espada que ante el arte neoclásico y afrancesado. Podemos decir que todavía el pueblo y Zorrilla creían en don Juan, el uno por primitivismo y el otro por misticismo estético propio del Romanticismo.

El primer valor que se sostiene y mantiene en el drama de Zorrilla, como artefacto dramático, es su capacidad visionaria. Eso lo apreciamos seguidamente de su lectura.

La obra de arte es visionaria por naturaleza. Pero esto no se ha creído siempre y se ha supuesto que era la obra de una suprema razón estética, con lindes preceptivos marcados e inapelables, aunque se ha tenido a los artistas por poco menos que locos, contradicción significativa dentro del propio racionalismo o iluminismo. Sin embargo, el TENORIO de Zorrilla es una fuerte obra visionaria, con un complejo engarce en el inconsciente colectivo de su tiempo y de ahí se desprende la primera razón de su éxito por encima de toda racionalidad y preceptiva. Durante un siglo —o casi— el varón ibérico se revitalizó, como el que ingiere un afrodisiaco, con los versos galanteadores y fanfarrones de don Juan. En esta misma emblemática estima tenía estos versos Valle-Inclán, quizá nuestro único modernista veraz [6]. En este punto el acierto visionario de Zorrilla es evidente. Hemos, pues, de reconocer que ese inconsciente colectivo se identificó de tal modo con la fábula de Zorrilla que instituyó una «misa», una ceremonia teatral para consagrarlo por medio de un auténtico «rito» en su concien-

---

[6] Alusiones a don Juan, sólo como drama patriótico-venéreo del poeta Zorrilla, son frecuentes en los «esperpentos».

cia. La crítica contemporánea no puede excluir este factor. Ahora habremos de salvar al drama de Zorrilla de las garras de quienes, creyendo aún en don Juan, no confiaban lo más mínimo en sus valores extraformales o pre-estéticos. «Nadie espera del Tenorio —dice Ortega— una profundización caracteriológica ni *el más tímido respeto* a la verosimilitud teatral». ¿No resulta insensato juzgar a Zorrilla por las mismas pautas que a Ibsen? «Se procura *deliberadamente* el convencionalismo en las psicologías de los personajes, que son puro chafarrinón, mascarones de proa; los rostros sempiternos de feria y verbena»[7]. Analicemos: «ni el más tímido respeto», «deliberadamente». En primer lugar no hay ensueño «deliberado», pero tampoco por supuesto ningún «tímido respeto» a la verosimilitud en la estructuración de un ensueño. Todos los desaciertos de preceptiva —o sea, torpezas— del Tenorio son claros exponentes del estado pre-lógico que presenta a nuestros ojos de hoy la obra de arte. Hay, sin embargo, en el Tenorio un orden cerrado y una «verosimilitud inventada» y un sentido del personaje emblemático que lo justifican plenamente. Es una propuesta de juego con las imágenes travestidas de los sueños, más certeras en cuanto a la definición de instintos primarios. Verosimilitud y psicologismo han sido barreras dialécticas que han resultado muy frágiles en toda la panorámica del arte moderno. Estos personajes supuestamente acartonados es evidente que tienen la fuerza expresiva de ciertas decantaciones oníricas. Pocas cosas entusiasmaron tanto a Dalí como la visualización teatral del drama de Zorrilla. Sus chafarrinones, en el sentir y pensar de Ortega, eran por el contrario la caligrafía de otro lenguaje. En cierto modo, Zorrilla se corteja a sí mismo en don Juan, puesto que los sueños en general son sueños de compensación y en este «para sí» del arte, crea un drama a la vez violento y amable, un drama *sexy* como un

[7] Citado por Isasi Angulo en su prefacio a *Don Juan. Evolución dramática del mito,* Madrid, Bruguera, 1972.

tango, algo que hoy incluimos como valor en la vena popular del poeta. Queda bien probado por la historia que horteras y duques del Romanticismo sintieron algo medular y venéreo en este don Juan. Hay quien quiere ver esta misma virtud en Mozart, aún más amplificada y universalizada. No es ningún desacierto.

Tengamos, pues, en cuenta el «automatismo» que preside la redacción del drama de Zorrilla. Hagamos comparación con otros donjuanes anteriores y veremos que una cierta sequedad teológica se impone a lo sensual en el lenguaje. Cuando escribe Zorrilla ya se ha pasado por el cinismo sexual dieciochesco y se vive, o padece, la desmesura sensorial del Romanticismo. Ya es otra que la angelical sensualidad mozartiana y hay en ella una delectación pecaminosa al estilo de los «lyones» de su tiempo. Pero todo esto se remite a la facilidad que el poeta encuentra en la fiel transcripción de imágenes pre-racionales. Aportemos algunas pruebas:

Con humildad que suena a falso, Zorrilla confiesa en sus *Memorias del tiempo viejo* que «sin más datos ni más estudio que *El burlador de Sevilla* de aquel ingenioso fraile y su mala refundición por Solís, que era la que hasta entonces se había presentado bajo el título de *No hay plazo que no se cumpla ni deuda que no se pague* o *El convidado de piedra,* me obligué yo a escribir en veinte días un don Juan de mi cosecha» [8].

Primera racionalización en el aire. ¿Tan flaca es su información? No es posible. El amable viejo coquetea y miente. Precisamente, en contra de lo que asegura, el prototipo de don Juan le es absolutamente familiar por impregnación de todo el teatro del Siglo de Oro y sus tópicos más acabados de caballero fanfarrón proclive incluso al sacrilegio.

Y añade: «Tan ignorante como atrevido, la emprendí yo con aquel magnífico argumento sin conocer *Le festin de Pierre* de Molière ni el precioso *libretto* del abate Da Ponte, ni nada de lo

---

[8] Zorrilla, *Obras completas,* vol. II, Santarén, Valladolid, 1943.

que en Alemania, Francia e Italia se había escrito sobre la inmensa idea de libertinaje sacrílego personificado en un hombre».

¿Es creíble que la versión de Molière o la del casquivano Da Ponte hubieran enriquecido en algo la versión racial de Zorrilla? He aquí un caso de intimidación cultural, fruto de un condicionamiento histórico. La verdad es que, si bien Zorrilla asegura con toda seriedad no haber tratado el tipo en obras anteriores a su DON JUAN, lo cierto es que en esas obras anteriores se han ido incluyendo personajes que lo van claramente definiendo[9]. En *Ganar perdiendo,* don Pedro, joven galán, de franco, noble y liberal, evoluciona progresivamente en amador, calavera, jugador y reñidor. En otra obra: *Para verdades el tiempo y para justicia Dios,* Medina y Juan, enamorados de la misma dama, se la juegan a los dados con la misma osadía transgresora que caracteriza a don Juan. Lo que quiere decir que Zorrilla se había ido preparando inconscientemente para una definitiva alcación con todos esos elementos dispersos. Así comprendemos mejor el clima de relajación y confianza en el que escribe. Dice que no sabía por dónde empezar y que «por eso» comenzó por la escena de los ovillejos. Otra prueba más del impulso lúdico y visionario que lo dispara a escribir con el automatismo de quien está francamente embebido por un tema. Oigámoslo: «Ya por ahí entraba yo en la senda del *amaneramiento y mal gusto de que adolece mucha parte de mi obra...».* Cabe pensar en la lluvia de reproches «formales» que debieron caerle encima, con la insinuación del realismo objetivo. «Porque el ovillejo o séptima real», continúa, «es la más forzada y *falsa métrica* que conozco...». Y ahora viene una cazurra autoexculpación, que invalida tan somera autocrítica, porque *«afortunadamente para mí,* el público, incurriendo después en *mi mismo mal gusto y amaneramiento,* se ha pagado de esta escena y de estos ovillejos como cuando yo los hice *a oscuras y de memoria una noche de insomnio».* Como quien dice al dictado.

---

[9] *Hacia don Juan, op. cit.*

Es fácil ver que Zorrilla soñaba y jugaba a escribir un don Juan «de su cosecha» en el estado que traduce, aun en formas artificiosas, el flujo de un sueño.

Los supuestamente disparatados ovillejos —casi una forma de trabalenguas— son la prueba fehaciente de un delirio informal dentro de lo formal y una transgresión lúdica del tema serio. Este segundo plano de «gratuidad» estética no podía ser estimado antes de nuestro tiempo con suficientes garantías. Por el contrario, ese espíritu de los ovillejos preside otras muchas escenas del drama, sin llegar a su contundencia artificiosa o «artefactual» que, a nuestro criterio, lo define positivamente como forma y delirio imbricados en una totalidad autónoma. El desmaño, los olvidos, las curiosas sobreimpresiones en imágenes y tiempos, no son hoy propiamente «defectos», sino que suponen una crudeza de textura que releva el sabor del drama. El propio Zorrilla descubre más tarde la rica *naïvité* onírica de su obra:

«Desde la primera escena *ya no sabe don Juan lo que se dice;* sus primeras palabras son:

> Ciutti, este pliego
> irá dentro del horario
> en que reza doña Inés,
> a sus manos a parar.

¡Hombre, no! En el horario en que rezará, cuando usted se lo regale; pero no en el que *no reza aún,* porque aún no se lo ha dado usted. Así está mi don Juan en la primera parte de mi drama, y son en ella tan inconcebibles como imperdonables sus *equivocaciones, hasta en las horas*». Soy yo quien ha subrayado todo lo anterior, porque creeríamos estar escuchando a Freud en el examen racional de alguno de sus propios sueños.

A esta capacidad visionaria se la ha definido posteriormente como surrealismo, simbolismo, expresionismo... ¿Qué más? Pero es capacidad latente y constante en todo arte, aun en el más clásico. Visto de este modo, el don Juan de Zorrilla, a la vez que teatro romántico, es decantación extrema y muchas veces «extremosa» de la dramaturgia española conformada en el siglo XVI y parte del XVII por obra de Lope y sus más fieles seguidores. Es quizá una hipérbole, a trozos irónica, de drama español. Un objeto íntegro, pero a la vez abierto a todo tipo de especulaciones sobre la verdad y la mentira del teatro.

*

Quedan por examinar las dos novedades que aporta Zorrilla desde el punto de vista argumental en contraste con todos o casi todos los donjuanes anteriores. Éstas son la seducción de una monja y la salvación de don Juan, cosa que anuncia un comienzo de extinción del mito.

Los trazos virginales con que ha caracterizado Zorrilla a doña Inés son los más tópicos de las heroínas románticas, como deslavados maniquíes entre aristocráticos y monacales. Hay dulces heroínas románticas que son monjas internas. Zorrilla no busca crear una persona real sino un arquetipo que emblematiza la pureza, poniendo en juego el valor supersticioso dado a la virginidad y enfatizando su sentido erótico, objetual. Las feministas de hoy se insubordinarían ante don Juan por motivos muy bien fundados.

Precedentes de monjas seducidas, raptadas y preñadas, comercio erótico entre monjas y frailes no fue tema que se evitara desde mucho tiempo atrás. Y el satanismo y el sacrilegio eran grandes excitantes románticos. Pero Zorrilla, dando la espalda a toda «verosimilitud y psicología», logra hacer del personaje un fetiche dramático candente. Como poeta visionario el autor superpone al tipo de doña Inés una vagorosa cuanto sacrílega estampa de la Virgen María. También es doña Inés un mito escénico, no suficientemente apreciado en estos términos a causa de la preceptiva anterior dominante[10].

---

[10] Interesante el capítulo «Amores con una monja» en el libro *Hacia don Juan, op. cit.*

Es inevitable reconocer que Zorrilla establece en términos de relato escénico un fetichismo-voyerismo en el espectador, cuyo ápice es sin duda la famosa escena del sofá. Los versos que don Juan le dedica son jaculatorias eróticas y una suerte de padrenuestro venéreo compensatorio y gratificador de la virilidad entendida al modo de su tiempo. Y aún más para uso de caballeros españoles. Su impacto popular justifica uno de los grandes motivos del arte, pues ningún patán dejaba de sentirse caballero asumiendo el «rezo» de don Juan, el «sésamo ábrete» incantatorio que significan sus frases en esta escena. Brevemente diríamos que doña Inés, producto de la imaginación y no de la realidad, es teatralmente una entidad tan edulcorada y pornográfica como un póster de Andy Warhol. Entendido en otros términos que éstos, el personaje se desmorona. Pero a la luz de un nuevo conocimiento del hecho estético —y, por tanto, del hecho teatral— también este personaje, que de otro modo nos parecería hueco, es una creación valiosa y ello no deja de acusarlo cualquier lector contemporáneo. Corresponde a una realidad estética y no social.

Si la famosa escena del sofá es una escena «vivida» con el subtexto de un orgasmo pornográficamente estilizado, la salvación y apoteosis de don Juan también cumple otra «tentación», quizá la tentación de liquidarlo.

Si bien Zamora ya salvó a su don Juan, la salvación que le depara Zorrilla era más deseada y aun esperada. «Si se inclinó más bien por la solución de Zamora —salvación del protagonista— fue sin duda debido a que el público español había sufrido una evolución tal que difícilmente podía admitir la radical y lógica solución de nuestro mercedario», se refiere como es natural a Tirso [11]. Ello quiere decir que, aun condenado por la convención religiosa del siglo XVII, ya en el XIX tan simpático y atractivo personaje merecía un generoso perdón, evidente —pero matizable— desculpabilización sexual impuesta por las costumbres. Quizá, llegado a su extrema evolución dentro del

[11] Isasi Angulo, *op. cit.*

orbe católico, que lo ampara dentro de una espejeante pecera, el mito de don Juan, sumo transgresor de valores amenizados por el tiempo, se repliega y comienza lentamente a morir. Se ha despojado del «espanto». Los intelectuales modernos quieren hacer ya de él una especie de santo inverso, magnificar en su figura la santidad del deseo. Esto puede ser una fatua superchería. Si el factor repulsa y condenación falta en don Juan, si ya no huele a azufre, malo. Donjuanes podemos serlo todos a poca costa. Sin embargo, en la época de Zorrilla, esta salvación y apoteosis podía ser —digámoslo también en términos freudianos— la barrera, la excusa ética que enmascaraba un deseo prohibido, por lo cual el drama también satisfacía una necesidad social, un objetivo todavía remoto: la desculpabilización sexual ya mencionada y aun pretendida por ciertas minorías marginadas. En su seno, a causa de la propia marginación moral, se dan más casos de donjuanismo «repelente» y venal. Marañón, que todavía creía en don Juan en cierto sentido, en su empeño de «dotarlo» de monstruosidad, intuyó esta derivación culpabilizadora epigonal y es evidente que en un determinado aspecto, de postura frente a la pretendida desmesura del tipo y del mito, acertó [12].

FRANCISCO NIEVA

---

[12] Rousset, por su parte —*El mito de don Juan,* Fondo de Cultura Económica, México, 1985. En francés, Librairie Armand Colin, París, 1978—, menciona al prestigioso Foucault con estas palabras: «ese prestigio de don Juan que los siglos no han acabado...». Eso no es una idea que afirme la actual beligerancia del mito de don Juan desde su punto de vista filosófico, investigador de las proporciones sociales de la culpa y la enfermedad. Rousset afirma que «se ha anclado en nuestros espíritus, si no el mito, al menos el personaje». Este reflejo estilizado del hombre sexual, en concepto de los intelectuales, no es realmente don Juan con sus atributos de época, que realmente conmovían «todo» el fundamento moral. En realidad, desde hace mucho tiempo, no se escriben sino «anti-donjuanes». Rousset termina de este modo su capítulo «Don Juan en la actualidad» con estas palabras: «Los tiempos cambiarán y con don Juan nunca se ha dicho la última palabra; estuvo a punto de morir en el siglo XVIII; podría renacer una vez más. Sólo haría falta... un nuevo Mozart». Sin quererlo, Rousset asesta un tiro de gracia al mito de don Juan: sólo atribuye su resurrección «a la forma».

INTRODUCCIÓN

de Juan Francisco Peña

El marco romántico

Sin entrar en análisis pormenorizados sobre la ya amplia polémica en torno a la génesis del Romanticismo español, sí que conviene dejar claros algunos aspectos que pueden servir de orientación básica y didáctica para la mejor comprensión del texto que nos ocupa.

La teoría de Peers[1] de que España es un país romántico por excelencia y que nuestro paisaje y literatura anterior se configuran como constantes de la estética romántica ha sido ampliamente rebatida por multitud de críticos, especialmente —y de una forma exacerbada— por Ángel del Río[2]. Sin pensar, como hace Peers, que la mentalidad romántica se retrae a la Edad Media, pero sin reducirla, como indica Ángel del Río y han seguido haciendo otros críticos, a la década que va desde 1834 —con la vuelta de los emigrados— hasta 1844, con la publicación de DON JUAN TENORIO, se puede afirmar que el Romanticismo español ofrece una serie de datos, circunstan-

---

[1] Allison E. Peers, *Historia del movimiento romántico español,* Gredos, Madrid, 1954.

[2] Ángel del Río, «Una historia del movimiento romántico en España», en *Revista Hispánica Moderna,* IX (1943), págs. 209-222.

cias y obras que permiten su introducción, lenta pero inexorable, desde finales del siglo XVIII hasta bien entrada la segunda mitad del XIX.

La polémica ha ocupado ya la pluma de muchos hispanistas, principales estudiosos de esta etapa de nuestra cultura (Peers, Donald Shaw, Sarrailh, King, Tarr, Sebold, Gies, Caldera, etc.), y de eruditos como Américo Castro, R. Navas Ruiz, V. Llorens, Díaz Plaja, Entrambasaguas, etc., estirando o comprimiendo el momento de la génesis del Romanticismo en función de gustos, apetencias o consideraciones diversas.

En la actualidad, parece clara la aceptación de que la convivencia entre neoclasicistas y románticos pervivió durante largo tiempo sin que, en ningún caso, eso supusiese el asesinato de una corriente y el nacimiento abrupto de la otra. Sebold, que es otro de los críticos que denosta la visión expansiva del Romanticismo español de Peers, encuentra rasgos marcadamente románticos en los textos de las *Noches lúgubres* de Cadalso o en los versos de Meléndez Valdés, dos figuras «inscritas» generalmente en la órbita del neoclasicismo[3].

Antes de la llegada de los emigrados, en 1834, se están dando en España una serie de condiciones y circunstancias

---

[3] «La asociación naturaleza-espíritu ya se manifiesta en forma plenamente romántica antes de finalizar el año 1774; pues en las *Noches lúgubres,* de Cadalso, mientras Tediato espera en noche tormentosa al sepulturero Lorenzo, monologa sobre su pena y su perdida felicidad en estos términos: "El nublado crece. La luz de esos relámpagos... ¡qué horrorosa! Ya truena... [Lorenzo] no ve lo interior de mi corazón... ¡cuánto más se horrorizaría!... Cruel memoria, más tempestades formas en mi alma que esas nubes en el aire". Tempestad en la atmósfera, tempestad en el corazón; la primera no parece sino eco de la segunda. ¿Dónde termina el espíritu?, ¿dónde comienza la naturaleza? En 1794, en unos versos de Meléndez Valdés, llenos de melancolía y amargo tedio, se produce el siguiente intercambio entre el alma del poeta y el mundo natural: "Naturaleza en su hermosura varia / parece que a mi vista en luto triste / se envuelve umbría; y que sus leyes rotas, / todo se precipita al caos antiguo". Así la comunicación físico-espiritual depende alguna vez de un trascender tan extremo, que por poco se rompen las leyes universales» (Russell P. Sebold, «El desconsolado sentir romántico», en *Trayectoria del romanticismo español,* Crítica, Barcelona, 1983, pág. 18).

que preludian y avisan la introducción de una nueva mentalidad ligada a la concepción romántica del mundo. Sin incidir en la famosa polémica Böhl de Faber-Mora, que se inicia en 1814, ni en las páginas románticas que aparecen en *El Europeo,* la revista del trienio liberal, las condiciones de vida y las actitudes políticas de muchos de los pensadores de los inicios del XIX son plenamente románticas. Lo es ya la Constitución de 1812 que, como es sabido, representó durante mucho tiempo la más avanzada ideología política y sirvió de modelo para otras constituciones europeas. Y lo es también la mentalidad de muchas de las figuras políticas. «Toreno, Argüelles, Zumalacárregui, Riego, Torrijos, Mariana Pineda son románticos cuando todavía no lo son los escritores. Pero si lo esencial del Romanticismo es su contenido y no la forma, los escritores de los tres primeros lustros del XIX podían ser románticos aunque escribieran en moldes neoclásicos [4]».

En este contexto, no es extraño que surgiesen las figuras renovadoras de Bartolomé José Gallardo, uno de los investigadores bibliográficos españoles más injustamente tratado, y de Agustín Durán, cuyo famoso *Discurso sobre el influjo que ha tenido la crítica moderna en la decadencia del teatro antiguo español* es uno de los mayores impulsos a la divulgación de las nuevas ideas. Durán, siguiendo a Schlegel y a Böhl, rechaza la constricción de las unidades cuando se conviertan en una limitación para la creación artística. La actitud de Durán, ligada a los planteamientos conservadores del Romanticismo, defiende la pervivencia del drama del Siglo de Oro porque es el que mejor expresa el carácter nacional español. Durán también vincula el Romanticismo con la pintura del individuo, no del hombre abstracto; aboga por la resurrección del espíritu medieval y por la libertad creadora, sin atender a los medios

---

[4] J. L. Alborg, *Historia de la literatura española,* IV, Gredos, Madrid, 1980, pág. 49. Sigue las teorías expuestas por Julián Marías en «Un escorzo del romanticismo», *Obras Completas,* III, Madrid, 1959, págs. 283-302.

rígidos de la normativa clásica [5]. Profundo defensor de la cultura popular, dedicó gran parte de su actividad literaria a recopilar muchos de los romances tradicionales, que tanta importancia tuvieron posteriormente en la creación poética de algunos de los autores románticos, y, especialmente, en la de Zorrilla [6].

En 1834 ya hay un ambiente romántico en España, pero los acontecimientos políticos son los que favorecen su pleno desarrollo. La muerte de Fernando VII en 1833 permite que al año siguiente se decrete una amnistía general para todos los emigrados. Con ellos entra definitivamente en España la ideología romántica que han bebido en las diferentes cortes europeas. Alcalá Galiano da a conocer su famoso *Prólogo* a la edición francesa de *El moro expósito* (1834), del duque de Rivas, donde insiste en la necesaria originalidad del Romanticismo español y en la búsqueda de nuevos valores en el mundo medieval; aboga también por el exotismo, el patriotismo, la poesía metafísica de análisis de pasiones y la mezcla de recuerdos de lo pasado con emociones de lo presente.

En este momento surgen con fuerza las nuevas revistas, entre las que destaca *El Artista,* fundada en 1835 por Eugenio de Ochoa [7]. Aquí publicó Espronceda su famosísima *Canción del pirata* y Zorrilla, algunas poesías, antes de que su nombre se hiciese famoso tras el entierro de Larra.

---

[5] Narciso Alonso Cortés, el gran estudioso de la obra de Zorrilla, afirma que «este discurso de Durán es para España lo que las *Lecciones* de Schlegel para Alemania, la *Carta de las tres unidades,* de Manzoni, para Italia, y el *Prefacio de Cromwell,* de Hugo, para Francia» *(Zorrilla. Su vida y su obra,* Santarén, Valladolid, 1943, pág. 112).

[6] Durán había publicado varias colecciones de romances hasta que recopiló todos ellos en su gran obra *Romancero General (1849-1851),* donde recoge 1.900 romances.

[7] Respecto a la importancia de esta revista, Narciso Alonso Cortés afirma que «*El Artista* vino a llenar un cometido insustituible. Fue como el encargado de enseñar con el ejemplo, a los que aún no lo sabían, de qué manera había de entenderse el romanticismo, alejándole discretamente de las fantasmagorías en que algunos le cifraban» *(Zorrilla. Su vida y su obra, op. cit.,* pág. 147).

El Romanticismo ya estaba, pues, en España mucho antes de que el duque de Rivas estrenara, en 1835, *Don Álvaro o la fuerza del sino,* a la que siguieron, e incluso precedieron, muchas de las obras más representativas de este movimiento. Sólo en el género dramático podemos destacar: *La conjuración de Venecia* (1834), de Martínez de la Rosa, que había sido publicada en París en 1830; *Macías* (1834), de M. J. de Larra; *El Trovador* (1836), de A. García Gutiérrez; *Los amantes de Teruel* (1837), de J. E. de Hartzenbusch; *La morisca de Alajuar* (1841), también del duque de Rivas, y un largo etcétera[8].

El Romanticismo y su teatro

La concepción del *yo* elaborada por la filosofía idealista germana, sobre todo por Fichte y Schelling, constituye uno de los aspectos fundamentales de la mentalidad romántica. El Yo se identifica con el individuo, y el espíritu humano es capaz de elevarse por encima de cualquier atadura terrena para buscar el absoluto, aunque éste sea siempre una meta inalcanzable. En el Romanticismo, como afirma Alborg, «la verdad no posee una estructura objetiva, independiente de quienes la buscan [...]; por el contrario, las respuestas a las grandes preguntas no han de ser descubiertas sino inventadas, no son algo que se halla sino que se produce. Las normas de conducta, las ideas estéticas, religiosas, morales, políticas, las forja el hombre lo mismo que las obras de arte; no por imitación de verdades, modelos o reglas anteriores, sino por un acto de creación»[9].

El sentimiento se valora como medida de todas las cosas. El corazón triunfa sobre el racionalismo y sobre los derechos, le-

---

[8] Para comprobar la fecha de publicación de otras obras del Romanticismo español y las del propio Zorrilla, véase el Cuadro cronológico que acompaña a esta edición.

[9] J. L. Alborg, *Historia de la literatura española,* IV, *op. cit.,* pág. 18.

yes y convenciones. Los grandes sentimientos del hombre: amor, religión, vida y muerte alcanzan su pleno significado sin la constricción de la sociedad y lanzan su grito de libertad individual por encima de cualquier convención.

El amor, tema central del Romanticismo, se muestra desde una doble alternativa: como sentimiento tierno, nostálgico y de ensueño irrealizable, o como pasión desbordante, desesperada y angustiosa. En el Romanticismo español domina más el segundo, como se puede apreciar en las obras dramáticas más representativas: *Don Álvaro, El Trovador, Los amantes de Teruel* y DON JUAN TENORIO. En la pareja romántica, la mujer es inocencia, sencillez y candor, aunque no por ello menos apasionada; el hombre, por el contrario, es aventura, afán, fuego, pasión y reto.

Este amor, entendido como el ansia de lo absoluto, se resuelve, generalmente, en un fracaso, en la imposibilidad de alcanzarlo, y de ahí nacen el pesimismo, la melancolía o la desesperación. La vida terrena no vale sino en lo que supone ese afán hacia lo eterno. Todos los personajes románticos se sienten atraídos por un anhelo indefinible, buscan angustiosamente la verdad que les ilumine el abismo de la vida.

En esta búsqueda, se acercan frecuentemente a lo sobrenatural, y en ese marco entablan un diálogo angustioso con personajes de ultratumba, con fantasmas..., que no son, en la mayoría de las ocasiones, más que la plasmación de los ideales y sueños del hombre romántico.

La religión no ofrece, en general, una salida firme e infalible a los deseos románticos. La figura de Dios se presenta con una doble polaridad: como el causante de la angustia y el sufrimiento o, por el contrario, como la solución definitiva a ciertos afanes de eternidad. Ésta es la salida de una de las corrientes del Romanticismo más conservador en España, como podemos ver en el final del DON JUAN TENORIO. Mucho más frecuente es la aparición del satanismo, como antítesis de la opresión religiosa y como símbolo de la libertad y la rebelión. La figura del don Juan, como luego veremos, simboliza, en la mayor parte de sus actos, la idea de la rebelión contra lo religioso y se le identifica con Satán en múltiples ocasiones.

En este marco, la muerte no se muestra como algo negativo. Es la gran amiga de los románticos. No se la teme; antes bien, se la aprecia por lo que entraña de liberación. La tumba romántica es plácida, tranquila y reposada para el alma del poeta. El desprecio por la vida del héroe romántico le acerca con frecuencia al suicidio, a la muerte heroica, a la superación de las ataduras terrenas, a la pervivencia de sus deseos en la otra vida. Los amantes mueren juntos para permanecer unidos eternamente.

Si la muerte es la mejor forma de evasión, también el romántico se evade en el tiempo y en el espacio. En el tiempo, muchas de las obras románticas se centran en la Edad Media. En esta época encuentran los románticos la magia, el misterio, las costumbres, los personajes como el cruzado, el monje o el caballero, la visión nostálgica de los castillos, el primitivismo... Una de las facetas importantes de esta evasión medieval es la potenciación de lo popular-nacionalista: «La glorificación romántica de la Edad Media tiene como base una determinada ideología político-religiosa, se adhiere a valores patrióticos y nacionales, al gusto por las tradiciones populares y por las manifestaciones folclóricas» [10]. El patriotismo de los románticos se centra, fundamentalmente, en el amor a la tierra y a la tradición local.

El Siglo de Oro es otra fuente de inspiración romántica, pero más que en los sucesos o personajes históricos, a los que los románticos españoles no ven con buenos ojos, se centran en las comedias de la época, buscando en ellas el gesto heroico o los tipos que se puedan identificar con sus planteamientos vitales.

Según dejó muy claro Larra en su famoso artículo «Literatura» [11], la libertad del escritor debe estar por encima de cualquier corriente anterior, de cualquier ideología política y de cualquier convencionalismo social. El individuo reclama el

---

[10] Víctor Manuel de Aguiar e Silva, *Teoría de la literatura,* Gredos, Madrid, 1972, pág. 338.

[11] Publicado en *El Español* el 18 de enero de 1836.

derecho a un pensamiento y una expresión libres contra la opresión de la tiranía, representada en el caso español por Fernando VII, al que odiaron todos los románticos. Los románticos adoptan, en general, un fuerte compromiso social, lo que les llevó, en muchos casos, a ser perseguidos por el régimen absolutista hasta el punto de tener que exiliarse de España.

La defensa de la monarquía como valor supremo de la justicia, que aparece con tanta frecuencia en la comedia del Siglo de Oro, en el Romanticismo se diluye en agrias críticas contra los monarcas absolutistas o, simplemente, se opta por prescindir de ella.

La libertad incita a los románticos a buscar sus símbolos en una serie de personajes que representen esa rebelión contra los principios establecidos y así surgen figuras tan señeras como Prometeo, símbolo y paradigma de la condición titánica del hombre; Satán, ensalzado por Milton en su *Paraíso perdido,* y cuyo desafío a Dios se vincula con la rebelión frente a lo tradicional y establecido; el bandido, el pirata, el fuera de la ley, los perseguidos por la sociedad... son hombres fatales, en lucha permanente con su destino, que se debaten entre la melancolía y la desesperación.

El marco más adecuado para esta visión liberadora del mundo es una naturaleza siempre agitada y cuya manifestación se identifica siempre con el espíritu del romántico. El mar es el símbolo de la libertad, como para Espronceda. La tormenta que explota en el *Don Álvaro* no es más que un reflejo de la agitación sentimental del protagonista. La noche y la tumba, los sepulcros y la muerte, se insertan en la nostalgia del infinito y en la insatisfacción y angustia espiritual del héroe romántico, como se puede ver en el *Don Juan.*

El drama romántico

La irrupción del drama romántico en la escena española es un camino lleno de obstáculos, unas veces por la férrea censura impuesta por la monarquía absolutista y otras por la inercia de un teatro anodino, anclado en el pasado, al que le costaba desprenderse de sus ancestros. Durante los inicios del siglo XIX, el tipo de teatro que dominaba en las tablas españolas se distribuía entre la comedia neoclásica; las refundiciones de obras del Siglo de Oro; las traducciones, especialmente del francés y, sobre todo, de Eugène Scribe; la ópera, y las comedias de magia, entre las que destaca *La pata de cabra,* de Grimaldi, que se convirtió en el gran éxito durante varios años [12].

En 1833, el ministro del Interior, Javier de Burgos, creó una comisión de tres miembros —Quintana, Martínez de la Rosa y Lista— que preparó un proyecto sobre la escena española y cuya promulgación, en 1834, abrió definitivamente las puertas al nuevo teatro. De esta manera, los dos teatros de Madrid, el de la Cruz y el del Príncipe, iniciaron su andadura romántica.

El drama romántico se alza, en aras de la libertad, contra la regla de las tres unidades y acaba alterando definitivamente las normas clásicas. Se proclamó el derecho a mezclar los géneros y se puso de moda el drama que funde la comedia y la tragedia, el tono serio y el jocoso, la prosa y el verso. Cuando se estrenó *Don Álvaro* se organizó una disputa en torno a su «género» porque, por un lado, se asemejaba a la tragedia por la grandiosidad de sus sentimientos, pero, por otro, no cumplía las reglas clásicas.

El drama romántico se define muy pronto por la vuelta al pasado y a la historia, pero, como ya hemos dicho, no con el fin de recordar el pasado, sino para interpretarlo, y de una forma tan libre que la historia se utiliza como reflejo de los sentimientos del Romanticismo.

---

[12] *La pata de cabra* se basa en una adaptación de la obra de Martainville, *Le Pied de mouton,* pero tuvo tanto éxito que Zorrilla cuenta en sus *Recuerdos del tiempo viejo* que por entonces «estaba absolutamente prohibido venir a Madrid sin una razón justificada, y el Superintendente visó 72.000 pasaportes por esta poderosa e irrecusable razón, escrita en ellos a favor de sus portadores: "Pasa a Madrid a ver *La pata de cabra*"».

Navas Ruiz distingue dos tipos básicos del drama histórico: el político y el arqueológico. El primero de ellos —cuya obra inicial y más representativa es *La conjuración de Venecia* (1834), de Martínez de la Rosa— «se convirtió en un reflejo de los temas políticos de la época: valor del liberalismo, tiranías reales y populares, sentido de la revolución» [13]. El segundo bucea en la historia sólo para revivirla, sin otras intenciones críticas. La obra que lo inicia es *Doña María de Molina* (1837), del marqués de Molíns.

En todo caso, el drama romántico está imbuido de un fuerte compromiso social. Los autores muestran una gran preocupación por los conflictos contemporáneos, por la libertad política o los conflictos del alma humana. Navas Ruiz distingue tres temas básicos en función de este contenido social: «la rebelión ante los códigos morales *(Don Álvaro,* DON JUAN TENORIO, *Los amantes de Teruel);* la lucha de clases que alcanza tonos trágicos en *Don Álvaro* y *El trovador;* la defensa de la libertad y el derecho a la revolución frente a los tiranos y los malos gobiernos *(La conjuración de Venecia, Juan Lorenzo, Simón Bocanegra)»* [14].

En el drama romántico, la acción se plantea siempre desde una perspectiva individual. Los propios títulos de las obras se centran, en muchas ocasiones, en el nombre del protagonista. Es un personaje rectilíneo, plano y de una sola pieza. La definición de personalidad se limita a una serie de rasgos básicos que le encuadran en la caracterización de tipo. El protagonista se mira desde la óptica central del tema de la obra: el amor, los celos, el odio, la valentía, etc., de tal manera que dicho tema determina el carácter del personaje y condiciona la acción desarrollada en la obra. No hay apenas graduación de su personalidad, sino explosión de un modo de ser indicado desde las primeras escenas. La ausencia de vida interior de estos personajes se suple con la introducción de una serie de monólogos, generalmente líricos, para dar a conocer los sentimientos.

---

[13] R. Navas Ruiz, *El romanticismo español,* Anaya, Madrid, 1970, pág. 82.
[14] Ídem, pág. 84.

Un rasgo básico de la mayoría de los personajes románticos es el halo de misterio que los envuelve. Desde *Don Álvaro,* se inicia en el teatro romántico este recurso dramático que provoca en el espectador un llamativo efecto escénico. Misteriosos son el Ruggiero de *La conjuración de Venecia,* Manrique en *El Trovador,* e incluso el inicio del DON JUAN; pero será el propio Zorrilla quien lleve al extremo este recurso en *Un año y un día.* El misterio del personaje se relaciona directamente con el clima de la obra y permite mantener un tono de suspense que funciona admirablemente en el discurrir de la acción dramática.

La misma intención de generar el suspense es la que se encuentra en el empleo del tiempo, visto casi siempre como un discurrir angustioso hacia un destino marcado por el inexorable alcance de un «plazo». El recurso del plazo —que se puede encontrar ya en el Romancero [15]— es utilizado por gran parte de los dramas románticos de la época. Ermanno Caldera afirma que una de las primeras obras que emplea este recurso es *Macías* (1834), de Larra, seguido pronto por *Incertidumbre y amor* (1835), de Eugenio de Ochoa, y llevado a la perfección por *Los amantes de Teruel* (1837), de Hartzenbuch. En *Un año y un día* (1842), de Zorrilla, el plazo da título a la obra y también se alude a ello en *Don Fernando el Emplazado* (1837), de Bretón de los Herreros, donde el discurrir del plazo genera en la obra la angustia del paso del tiempo [16]. Como luego veremos, el plazo también adquiere un significado especial en casi todas las obras del mito de DON JUAN.

Esta angustia del tiempo, vinculada siempre con el destino, se enmarca en un espacio dominado por las fuerzas más violentas de la naturaleza. Desde el *Don Álvaro,* cuya tormenta

---

[15] Es llamativo el uso del plazo en el famoso romance de *El enamorado y la muerte.*

[16] E. Caldera, *Il dramma romántico in Spagna,* Istituto di Letteratura Spagnola e Ispano-Americana, Universitá di Pisa, 1974. Cit. por Francisco Rico, *Historia y crítica de la literatura española,* V, Crítica, Barcelona, 1982, pág. 205.

final es antológica, son muchas las obras que utilizan este efecto escénico con una doble intención: mostrar la existencia desgarrada de los personajes y su perfecta simbiosis con la naturaleza, y provocar en el espectador el sobrecogimiento y el terror de la vivencia del personaje. El teatro se transforma en espectáculo de los sentidos y todo parece clamar como un grito desgarrado ante la fuerza del destino inexcrutable.

Otro espacio frecuentemente empleado es el de la tumba, el cementerio o la cripta. En este caso, como veremos en el *Don Juan,* la imagen de la muerte se cierne sobre los personajes como un aviso premonitorio. Todo es tiniebla, luz mortecina, cirios temblorosos, oscuridades siniestras, resplandores fulgurantes..., con el fin de crear un marco apropiado para la visión de lo sobrenatural, lo fantasmagórico y lo monstruoso. Los espectadores de este teatro «deben» vivir o morir con el personaje no desde el racionalismo de su análisis, sino desde la inmersión vital en su propia angustia.

Si el espacio es urbano, los románticos prefieren situar la acción en ciudades muy vinculadas con lo medieval: Toledo, Granada, Salamanca..., y dentro de ellas abundan las callejuelas estrechas, la catedral gótica, alguna ermita perdida y en ruinas, el viejo monasterio, las piedras del castillo...

En el drama romántico la importancia de la escenografía viene indicada por la proliferación de acotaciones, apenas empleadas hasta entonces. Estas acotaciones pretenden trasmitir la imagen que debe recibir el espectador para crear un clima total donde se fundan la acústica y lo visual en un espectáculo sorprendente [17].

---

[17] Una de las escenas finales de *Don Álvaro* se abre con la siguiente acotación: «El teatro representa un valle rodeado de riscos inaccesibles y de maleza, atravesado por un arroyuelo. Sobre un peñasco accesible con dificultad y colocado al fondo, habrá una medio gruta, medio ermita con puerta practicable, y una campana que pueda sonar y tocarse desde dentro. El cielo representará el ponerse el sol de un día borrascoso, se irá oscureciendo lentamente la escena y aumentándose los truenos y relámpagos» (Duque de Rivas, *Don Álvaro o la fuerza del sino,* ed. de R. Navas Ruiz, Espasa Calpe, Clásicos Castellanos, Madrid, 1975, pág. 125).

En este marco, no debe faltar todo un conjunto de efectos sonoros que acompañen a los provocados por la naturaleza. Destacan, en primer lugar, las campanas, utilizadas en repetidas ocasiones por los autores románticos: *Los amantes de Teruel, Un año y un día, Don Álvaro* (como hemos visto en la nota anterior), DON JUAN TENORIO, etc. Las campanas contribuyen notablemente a crear el aire de misterio: pueden tocar a muerto, a fuego —como en *La Corte del Buen Retiro* (1837), de Patricio de la Escosura, donde anuncian el incendio del Palacio Real y van incrementando su sonido con la tensión de la obra— o, simplemente, marcar las horas para avisar del plazo e indicar el transcurrir del tiempo angustioso. Junto a ellas, los disparos, los cantos mortuorios, los salmos de conventos, la música de órganos y los gritos de horror conforman una hipérbole sonora de la que el espectador no puede escapar y le sumerge en la dimensión mágica de lo impresionante.

JOSÉ ZORRILLA, AUTOR ROMÁNTICO

La poesía de Zorrilla irrumpió en el mundo de las letras españolas en torno a un suceso que contribuyó no poco al éxito de su obra: la muerte de Larra. Frente a su tumba, el 15 de febrero de 1837, Zorrilla leyó aquellos famosos versos que le dieron a conocer y que le permitieron inscribir su nombre en la nómina de los autores más destacados del Romanticismo:

> Ese vago clamor que rasga el viento
> es la voz funeral de una campana;
> vano remedo del postrer lamento
> de un cadáver sombrío y macilento
> que en sucio polvo dormirá mañana.

Zorrilla es, sin lugar dudas, el poeta más popular de todo el movimiento romántico. Esta popularidad viene motivada, fundamentalmente, por un verso sencillo, suelto, de fácil asimilación y recordatorio, pero que llega a lo más profundo del sentimiento y nos permite identificarnos pronto con el discurrir de unos personajes también sencillos pero eternamente humanos.

El Romanticismo de Zorrilla no sigue la línea romántica de la rebelión política ni la actitud vital del desengaño. Antes bien, quizá sea uno de los más conservadores y uno de los más vitalistas, pero no por ello deja de expresar con fuerza sus sentimientos y disfruta de la vida con una fuerza y una pasión plenamente románticas. Unos versos del propio Zorrilla así nos lo indican:

> ... no hay en mi vida fábulas extrañas,
> ni mis costumbres con el mundo hurañas
> menos son hijas del precoz hastío.
> Yo no soy de esos mozos mentecatos
> de ilusiones perdidas y alma seca,
> que nacieron ayer, y ya insensatos
> decrépitos se creen; en mí no trueca
> la romántica moda las edades:
> y aunque no vigorosa, sino enteca
> por mi constitución y calidades
> físicas y a pesar del siglo necio
> que palpa semejantes vaciedades,
> mi juventud es juventud: es recio
> mi corazón y joven todavía
> y no me cansa la existencia... [18].

En la producción poética de Zorrilla se distinguen dos géneros que marcan su predilección por lo sentimental y lo narrativo: la poesía lírica y las leyendas.

Poesía lírica

F. Blanco García, en su *La literatura española del siglo XIX,* Pérez de Ayala y otros muchos críticos han acusado a Zorrilla de ser un mero versificador sin apenas profundidad.

---

[18] «Una historia de locos», en *Obras Completas,* I, ed. de Narciso Alonso Cortés, Santarén, Valladolid, 1943, pág. 1120 (en adelante *O. C.).*

«Releyendo todos sus poemas líricos, propiamente líricos (no incluyendo las leyendas), no logré dar con ninguna de aquellas expresiones concentradas y supremas, esencia de realidad y síntesis de muchedumbre de hechos concretos, al modo de fórmulas algebraicas del espíritu, y que por esta virtud se hayan convertido en patrimonio de todos y a cada paso se traigan a colación»[19].

El propio Zorrilla, en una alarde de humildad que le honra, se refirió a sí mismo como un poeta hueco.

> Como el ruido del mar, como el del viento,
> como el de un manantial de agua corriente,
> como el canto del ave, como el lento
> son de la lluvia o de la espuma hirviente,
> tenaz, sonoro, musical mi acento
> se exhala de mi ser perennemente;
> pero como esos ecos del vacío,
> es un son fútil el acento mío[20].

Pero estas opiniones se resquebrajarían seguramente si se hiciese un estudio detenido de la lírica de Zorrilla. Su obra es ingente y abarca todos los temas y todos los tonos, desde lo más grandilocuente a lo más íntimo y personal. Quizá lo más llamativo de su lírica resida en la excelente musicalidad de sus versos. «Por su capacidad para el misterio, su leve melancolía, el uso de símbolos comprensibles, que se hicieron muy populares, y el derroche de música y colores marca un hito decisivo en el desarrollo de la poesía española moderna»[21].

Uno de los temas dominantes de la poesía lírica de Zorrilla es la patria, teñida siempre de leyenda, magia y aventura, aunque este aspecto se verá mejor en sus leyendas. España, como patria que le recoge, es la tónica dominante. Así se puede ver

---

[19] R. Pérez de Ayala, «El centenario de Zorrilla», en *Obras Completas,* IV, ed. de J. García Mercadal, Madrid, 1963, pág. 845.

[20] «Nosce te ipsum», *O. C.*, II, pág. 630.

[21] R. Navas Ruiz, *El romanticismo español, op. cit.,* pág. 236.

en «El drama del alma», donde añora su patria tras el regreso de México

> ¡Con cuán profunda gratitud recibo
> el premio de volver al patrio suelo
> después de tantas desventuras vivo![22].

Pero no faltan los versos críticos como «A España artística», donde critica la pérdida de nuestros tesoros artísticos, o denuncia el analfabetismo en «La ignorancia», o lamenta el atraso de España por la apatía de sus gentes en su poema «De Murcia al cielo», en clara coincidencia con los versos de A. Machado.

> Aquí en nuestra buena España,
> donde se duerme la siesta,
> donde se canta la caña,
> donde el trabajo molesta
> y es la vida una cucaña,
> quien parece que medita,
> reflexiona o filosofa...
> sueña, está en babia o dormita[23].

La naturaleza, con todos los aditamentos del Romanticismo, se convierte en un tema recurrente para Zorrilla. Es evidente su magnífica capacidad para describir, tanto los detalles de la naturaleza más desbordante como aquéllos apacibles y tranquilos. Véanse, por ejemplo, los poemas «Las nubes», «La luna de enero», «Tarde de otoño», etc. Otras veces son las ciudades, generalmente de ambiente medieval, las que dibuja con emoción romántica: Toledo, Granada, Ávila, Valladolid, etc.

La religión no se aborda desde una perspectiva existencial o angustiosa, sino que sigue la tradición popular, cercana, en

---

[22] «El drama del alma», *O. C.*, I, pág. 2034.
[23] «De Murcia al cielo», *O. C.*, II, pág. 462.

muchos casos, a la superstición y la milagrería, como se puede apreciar en «Fe y poesía», en las alabanzas a diversas vírgenes regionales y, sobre todo, en sus leyendas.

Su propia poesía es también un tema frecuente. En una versión poética de «Recuerdo del tiempo viejo» repasa su producción y se vanagloria de lo que ha escrito.

> Y un día a mi pueblo tenía yo atento,
> al cual le decía mi armónico acento:
> «Acércate, escucha: yo tengo en mi ser
> la esencia del canto y el germen del cuento:
> con ellos, del alma las penas ahuyento:
> mi voz es la fuente que mana el placer»[24].

Poesía narrativa: las leyendas

Constituye la poesía más característica de Zorrilla y la que mejor le vincula con el Romanticismo y con la facilidad para la versificación. Zorrilla se sirvió de fuentes muy diversas —tradiciones orales, libros de historia, otras obras literarias...—, pero siempre interpretando la leyenda con total libertad para adecuarla a su estilo. Navas Ruiz señala los siguientes rasgos que definen estas leyendas: «Descripción detallada del lugar del suceso; situación del episodio en una atmósfera preferentemente nocturna, que contribuye a la creación de un clima de misterio o terror; caracterización moral y física de los personajes; narración del hecho con numerosas intervenciones líricas o intervenciones del autor; interferencia de la forma dramática o diálogo; conclusión con una moraleja o enseñanza práctica. Casi todas se resuelven con la intervención sobrenatural muy en consonancia con la fantasía romántica»[25].

---

[24] «Recuerdo del tiempo viejo», *O. C.*, pág. 657.
[25] R. Navas Ruiz, *El romanticismo español, op. cit.*, pág. 240.

Casi todas las leyendas son de ambiente medieval, época de la que gustaba especialmente Zorrilla y de la que tenía un visión idealista y romántica, como se puede ver en su poema «La azucena silvestre»:

> Edad por dos pasiones
> regida y dominada,
> guiada por dos astros:
> la gloria y el amor.
> La España por aquella
> de moros rescatada,
> por éste la hermosura,
> corona del valor[26].

Las leyendas de Zorrilla se pueden clasificar en tres grandes grupos: de fondo histórico, de fondo tradicional y de fondo fantástico.

Las *históricas* tienen siempre algún tipo de vinculación con la historia, bien por los personajes, bien por los sucesos que en ellas se cuentan. Entre las más importantes, destacan: «La princesa doña Luz», sobre los amores de ésta con el duque don Favila; «Un español y dos francesas», protagonizada por el conde castellano Garci Fernández; «El montero de Espinosa», sobre el amor de doña Sancha, madre del conde Sancho García, con el moro Muza, leyenda que sirvió de base para la obra dramática *Sancho García;* «La leyenda del Cid», una de las más extensas, donde recrea la figura del Cid basándose en el romancero; «Justicias del rey don Pedro», que contiene el episodio de Blas, dramatizado después en *El zapatero y el rey*; «Príncipe y rey», sobre la figura de Enrique IV; «La leyenda de don Juan Tenorio», situada en la época de Enrique III y que pretende ser una recreación de la historia de los Tenorios. No guarda relación con la obra dramática, aunque parece ser que Zorrilla quería continuarla hasta su don Juan.

---

[26] «La azucena silvestre», *O. C.,* I, pág. 787.

Las *tradicionales* se basan en tradiciones orales o escritas. Algunas de ellas se relacionan con la milagrería popular y con alguna imagen a la que se venera de forma especial. Éste es el caso, por ejemplo, de una de las famosas y conocidas: «A buen juez, mejor testigo», donde se narra la aportación milagrosa del Cristo de la Vega ante el requerimiento de una dama para demostrar el juramento del seductor Diego Martínez. El mismo tono tiene «Para verdades el tiempo y para justicias Dios»: la justicia divina delata a un asesino convirtiendo una cabeza de carnero en la cabeza de la víctima. Religiosa es también «Un testigo de bronce». Pero merece especial relevancia su famosa leyenda «Margarita la tornera», una de las más conseguidas. Esta leyenda procede del siglo XIII y posee una larga tradición literaria. Es la historia de una monja que abandona su puesto en el convento seducida por un galán y, al volver, se da cuenta de que nadie ha notado su falta porque la Virgen ha ocupado su lugar. Algunos pasajes de esta leyenda se incluyeron después en el drama de DON JUAN TENORIO [27].

De carácter profano, basadas en amores, rivalidades y venganzas, escribe Zorrilla otras leyendas de entre las que destaca «El capitán Montoya». Se ha visto en ella un claro precedente de don Juan, sobre todo por la escena en la que el seductor contempla su propio entierro. Esta situación tiene también una larga tradición y forma uno de los aspectos centrales de *El estudiante de Salamanca,* de Espronceda. Del mismo tipo son otras leyendas como «Las dos rosas», «El desafío del diablo» o «Un cuento de amores».

Las *fantásticas* o novelescas se basan en hechos ficticios, con una trama complicada y muy cercanos a la estructura del folletín. En ellas, la imaginación de Zorrilla divaga como en ninguna otra y se acumulan las situaciones maravillosas y mágicas, tan del gusto de los románticos. «La pasionaria» cuenta la historia de una mujer que, abandonada por su amante, se

[27] Véase la nota al verso 1281 de esta edición.

transforma en esa flor para ver a su amado, arraigada en la ventana de su castillo. «Dos rosas y dos rosales» es un complejo folletín donde no faltan personajes orientales y complicadas relaciones amorosas, cercano a las maneras de las novelas bizantinas. En «Los encantos de Merlín» se acerca a la historia de las novelas de caballería, que pusieron de moda nuevamente los románticos.

Granada

El mundo musulmán ejerce sobre los románticos una fuerte atracción y en Zorrilla se manifiesta, fundamentalmente, en la creación de varios poemas dedicados a Granada, ciudad que simboliza el esplendor de una época y la maravilla de su arte. En el segundo tomo de sus poesías, en 1838, publica ya un poema dedicado a la conquista de esta ciudad: «La sorpresa de Zahara», y en el tercero, en el mismo año, otro sobre este mismo hecho: «Al último rey moro de Granada, Boabdil el Chico». Pero su gran obra relativa a este tema es el largo poema titulado «Granada», que consta de nueve libros y que Zorrilla dejó inacabado.

Para su construcción, Zorrilla se documentó ampliamente, según señala Alonso Cortés [28], en varios libros de historia, como *El libro del viajero en Granada,* de Jiménez Serrano; *Crónica de la conquista de Granada,* de Washington Irving; las *Guerras civiles de Granada,* de Pérez de Hita; *Historia de Granada,* de Lafuente Alcántara, etc. Con todo ello tejió una magna obra que pretendía reconocer la importancia de la cultura árabe. Básicamente narrativa, la leyenda mezcla también magníficas páginas de lirismo y unas excelentes descripciones de los edificios y los espacios naturales de la ciudad.

En este poema, obra cumbre de la poesía romántica, Zorrilla mezcla hábilmente la historia con la leyenda, los motivos

---

[28] N. Alonso Cortés, *José Zorrilla. Su vida y sus obras, op. cit.,* págs. 500-501.

patrióticos con los religiosos, la narración y el lirismo, el detalle realista con la fantasía de lo sobrenatural... para alcanzar un conjunto fantástico de gran colorido y musicalidad.

El teatro

Si las leyendas le han proporcionado merecida fama a Zorrilla, no lo han conseguido menos su dramas, verdaderos ejemplos de los valores románticos. La musicalidad de sus versos, el sentir patriótico y tradicional, la acumulación de acciones y sucesos —que dotan a las obras de una tensión dramática bien conseguida—, los conflictos extremados y el clima fantástico que envuelve las acciones, convierten el teatro de Zorrilla en el mejor exponente de una forma de entender el drama que se basa, casi siempre, en alcanzar la emoción del espectador e impresionarle con la dimensión de lo espectacular y sorprendente.

El teatro de Zorrilla es un teatro dinámico, donde la aventura y los sucesos se acumulan —a veces desmesuradamente— ocultando el matiz psicológico de los personajes, fijados casi siempre como tipos, héroes de un solo trazo cuyo conflicto se asienta en el enfrentamiento entre el amor y el honor. Este planteamiento dual es, sin lugar dudas, una de las claves del éxito del teatro de Zorrilla. En casi todas las obras se enfrentan las vidas de dos personajes, sometidos a un destino entrelazado y, sin embargo, contrario, lo que provoca una gran tensión e interés dramáticos. Lo podemos ver en don Juan y doña Inés, pero también en *El zapatero y el rey,* o en *Traidor, inconfeso y mártir.* Incluso juega escénicamente con ello para envolver al espectador en la tensión del drama. Un magnífico ejemplo se puede observar en la segunda parte de *El zapatero y el rey,* donde presenta llorando, alternativamente, al bando de don Pedro y al de don Enrique.

Zorrilla comenzó su creación dramática en 1839, colaborando con García Gutiérrez en la redacción definitiva de *Juan*

Dandolo. Este mismo año escribió *Cada cual con su razón,* centrada en los amoríos de Felipe IV. Es una de las pocas obras que abordan el reinado de los Austrias y en ella se critica la actitud tiránica de este rey. De enredo es *Ganar perdiendo,* y ya en 1840 escribe *Lealtad de una mujer y aventuras de una noche,* sobre la vida del príncipe de Viana, una de las obras en las que más juega con confusiones de personalidades y enredos de situaciones.

En este mismo año alcanza su primer gran éxito con el estreno en el teatro del Príncipe de la primera parte de *El zapatero y el rey*[29], protagonizada por el rey don Pedro, una de las figuras preferidas por Zorrilla y por todos los románticos. Trata el tema de una de las «justicias» del rey. Es una de las obras más plagada de efectos románticos: conjurados, apariciones nocturnas, iglesias ruinosas, astrología... «Esta primera parte de *El zapatero y el rey* ha sido generalmente estimada como una de las mejores obras de Zorrilla, pero creemos [...] que se amontonan excesivos sucesos y que la acción resulta embarullada»[30].

En 1842 estrenó Zorrilla la segunda parte de *El zapatero y el rey,* considerada hoy como una obra superior a la primera, a pesar de la opinión contraria de Alonso Cortés. Basada en la obra *El montañés Juan Pascual,* de Juan de la Hoz, Zorrilla reivindica la figura de don Pedro, dramatizando las últimas horas del rey traicionado por Du Guesclin y enfrentado a don Enrique. Blas, el zapatero, ahora capitán de don Pedro, no

---

[29] En sus *Recuerdos del tiempo viejo,* Zorrilla alude a este momento con unas palabras muy significativas de su nueva situación: «Desde aquella noche quedé como un mal médico con título y facultades para matar, por el dramaturgo más flamante de la romántica escuela, capaz de asesinar y de volver locos en la escena a cuantos reyes cayeran al alcance de mi pluma. Dios me lo perdone: pero así comencé yo el primer año de mi carrera dramática, con asombro de la crítica, atropello del buen gusto y comienzo de la descabellada escuela de los espectros y asesinatos históricos, bautizados con el nombre de dramas románticos» (En *Obras Completas,* II, *op. cit.,* pág. 1755).

[30] J. L. Alborg, *Historia de la literatura española,* IV, *op. cit.,* pág. 595.

duda en matar a Inés, su novia e hija de don Enrique, para vengar la muerte de su rey. En esta obra, consigue Zorrilla un perfecto entramado argumental mediante el entrelazado de destinos y su efecto dramático, al presentarlos de forma paralela en la escena.

También en 1842 estrenó *El eco del torrente,* en el marco medieval del condado de Castilla, pero centrada en los amores y desengaños de Lotario, Argentina, el conde Garci Fernández y la mora Zelima. La exaltación de lo castellano se produce en una de sus mejores obras, *Sancho García,* también de 1842. Ya había tratado el tema en la leyenda «El montero de Espinosa», aunque ahora cambia el desenlace. Para Alborg, «*Sancho García* es un excelente drama, digno de figurar en un repertorio de primera fila» [31].

Con esta obra, se acerca Zorrilla a la línea de la tragedia clásica y a ello contribuyen la elevación y desarrollo de las pasiones, que alcanzan en las escenas finales verdaderos logros literarios, sobre todo en la dramatización de los sentimientos encontrados entre el conde Sancho García y su madre, quien le ha traicionado por amor al moro Hissem.

También en esta línea de tragedia clásica se puede incluir su siguiente drama, *Sofronia,* de 1843, subtitulada «tragedia en un acto». Trata sobre la mártir cristiana que se resistió a los deseos del emperador romano Majencio. La crítica la recibió con poco agrado y pasó con más pena que gloria por los escenarios españoles.

En 1843 estrenó Zorrilla otro de sus dramas más notables, *El puñal del godo,* donde rememora el reinado visigodo de España en el momento de la conquista por parte de los árabes. Este mismo ambiente se repetirá en *El rey loco* (1847) y *La calentura* (1847), que es una continuación de la primera de estas obras. En *El puñal del godo,* Zorrilla vuelve a construir el conflicto entrelazando destinos paralelos; en este caso, el del

---

[31] J. L. Alborg, *Historia de la literatura española,* IV, *op. cit.,* pág. 598.

conde don Julián y del rey don Rodrigo, a quienes se culpa de la «pérdida» de España a manos de los árabes.

Tras el éxito de DON JUAN TENORIO (1844), Zorrilla se sumerge aún más en la producción dramática y alcanza un nuevo éxito con una de sus obras maestras, *Traidor, inconfeso y mártir,* estrenada en 1849. Trata sobre la persona del rey portugués don Sebastián, a quien destronó Felipe II para anexionarse su corona. Zorrilla estudió históricamente la figura de este monarca y preparó más detenidamente la composición de la obra. Con ello consiguió un texto mucho más trabajado, en el que los personajes están mejor definidos, los diálogos no adolecen de ampulosidad y la versificación se ciñe mejor a la tensión del drama.

Gran parte del conflicto se plantea por el desconocimiento del espectador de la verdadera personalidad de los personajes, especialmente del protagonista, el pastelero Gabriel de Espinosa, al que se acusa de ser un impostor que suplanta la personalidad del rey don Sebastián, pero, que una vez ajusticiado, se descubre que era en verdad el rey. La anagnórisis se emplea también para sorprender al espectador con el personaje de Aurora, protegida del pastelero, quien resulta ser la hija del ejecutor de la sentencia, el juez don Rodrigo.

Sólo dos obras teatrales más: *Amor y arte* (1862) y *Pilatos* (1877), junto el fallido intento de convertir en zarzuela su *Don Juan Tenorio* (1877), compendian el desarrollo dramático de Zorrilla, que es el autor que mejor representa la irrupción de la mentalidad romántica en la escena española del XIX.

DON JUAN TENORIO

Si repasamos todos los rasgos que definen al Romanticismo como movimiento literario, es posible que en DON JUAN TENORIO podamos encontrar ejemplos de todos y cada uno de ellos. Don Juan es el romántico por excelencia: valiente, osado, matón hasta la heroicidad, defensor del honor por encima de todo, apasionadamente enamorado, luchador por «su» libertad y enfrentado a todo aquello que se le oponga, lo mismo da religioso que profano...

También la estructura de la obra refleja perfectamente el ideal romántico: el misterio de los personajes, las máscaras, el carnaval, la apuesta como momento sublime de la chulería, el enfrentamiento dialéctico y dicotómico con su contrincante, la disposición de los personajes en escena, la conquista, la huida, el tenebrismo de la segunda parte, los diálogos amorosos, los monólogos de la duda y el arrepentimiento, el enfrentamiento a Dios y la salvación por el amor..., todo coincide en señalar a esta obra como uno de los hitos que marca con mayor precisión el valor de lo sorprendente y de lo emocional como suprema forma del conocimiento del mundo. El espectador —todavía hoy— tiembla, vibra, se agita en su butaca, se aleja de cualquier racionalismo para sumergirse de pleno en el mundo de la pasión más desbordante. Si el teatro es catarsis, no cabe duda de que DON JUAN TENORIO representa uno de sus hitos más destacados, y si no, que se lo pregunten a Ana Ozores.

Las fuentes de Don Juan

Sin entrar a fondo en la ya dilatada polémica sobre las fuentes del TENORIO, conviene apuntar algunos rasgos que señalen el estado de la cuestión, sobre todo, para incidir en aquellos aspectos que vinculan esta obra con la dimensión del mito. El TENORIO de Zorrilla, si bien es un eslabón fundamental de la cadena mitológica, forma parte de una larga tradición literaria en la que el personaje se ha ido configurando como un símbolo de la libertad. El donjuanismo no es ya sólo una creación de la literatura, es, sobre todo, una actitud vital que, como afirma Unamuno, supera la escueta imagen que pueda trasmitir cualquier autor para adentrarse en la simbología de lo humano. Como don Quijote, su personalidad arrolladora transforma a los entes de ficción en seres «reales» que van «matando» lentamente a su autor para encumbrarse por encima de su realidad. La fantasía del sueño pervive sobre la cronología de la historia.

En el mito de don Juan vemos, además, la plasmación concreta, llevada a su pasión más desbordante, del conflicto eterno que se asienta en la base de la aspiración humana: la lucha complementaria, dialéctica y confusa, entre el amor y la muerte. Don Juan es el sueño que esbozó Quevedo en su famoso soneto: «[...] polvo será mas polvo enamorado», la continuación de la vida, el ansia de inmortalidad unamuniana..., y en esto radica la grandeza de un mito.

La evolución del mito de don Juan ha sido ampliamente estudiada, especialmente por Arcadio Baquero y Armando C. Isasi Angulo [32], quienes en sus respectivas ediciones seleccionan y comentan las obras más vinculadas con el mito. Pero es en Menéndez Pidal donde encontramos las primeras referencias que retrasan el nacimiento del mito y lo introducen en la más antigua tradición oral. En efecto, Menéndez Pidal [33] señala varias leyendas y romances que tratan este tema, sobre todo, el momento fundamental de la obra que es la invitación de un cadáver a la cena. Son bastantes los romances que cuentan el hecho de la invitación a cenar —hemos reproducido uno de ellos en la Documentación Complementaria— lo que indica que esta leyenda corría de boca en boca desde la más remota antigüedad. En la misma línea, existe una versión, difundida por los jesuitas y representada en 1615, en la que un conde, Leoncio, da una patada a una calavera y también la invita a cenar. Un esqueleto, que acude a su mesa, se le lleva despedazado.

De esta tradición oral extraería Tirso de Molina la base para su obra *El burlador de Sevilla,* verdadero punto de partida del mito dramático del TENORIO. A la historia de la calavera y la cena añadió Tirso otros aspectos fundamentales, como son: el

---

[32] Véase Bibliografía.
[33] *Estudios literarios,* Espasa Calpe, col. Austral, Madrid, 1920.

matonismo del personaje y su escaso respeto no sólo por los muertos, sino también por los vivos, y el carácter mujeriego de don Juan, que en el de Zorrilla se convierte en elemento fundamental de la obra.

La influencia del *Burlador* en el TENORIO la indica el propio Zorrilla en sus *Recuerdos del tiempo viejo,* aunque confunde a Tirso con Moreto. Esto ha llevado a algunos autores a considerar que la obra que marca la génesis del TENORIO en cuanto al aspecto de la mujer burlada se halle en una obra de Agustín de Moreto, *Las travesuras de Pantoja.* Así lo defiende J. L. Gómez en su edición del TENORIO y lo comenta Aniano Peña en la suya.

En 1937, Américo Castro relacionó con el TENORIO otra obra de Tirso, *El condenado por desconfiado.* Otros críticos han señalado también esta posible influencia, y especialmente Varela, quien afirma que Zorrilla pudo sacar de aquí la idea de la salvación final.

La otra obra que cita Zorrilla en sus *Recuerdos* es la de Antonio de Zamora: *No hay plazo que no se cumpla ni deuda que no se pague o El convidado de piedra* (1714). Zorrilla afirmó que, con su TENORIO, pretendía sustituir a esta obra en la representación que tenía lugar el día de Difuntos. La crítica mantiene diversas posturas sobre el posible influjo de esta obra. Si para Alonso Cortés no tuvo nada que ver con la creación de Zorrilla, para Joseph W. Barlow, Zorrilla sigue, en varios puntos, la obra de Zamora.

Otro elemento fundamental de esta polémica es la posible influencia de la obra del francés Alejandro Dumas *Don Juan de Mañara o la caída de un ángel.* Esta obra fue traducida por García Gutiérrez en 1836 y tuvo amplia difusión entre los románticos españoles. La influencia de Dumas queda demostrada fehacientemente por varios críticos y, especialmente, por Cifuentes, quien en su edición señala todos los puntos de contacto entre ambas obras; sin embargo, este influjo no se observa en el momento cumbre de la obra, la salvación por el amor, porque la única versión de Dumas que incluye este final, como demostró John Kenneth Leslie en 1945, es la de 1864, por lo que se supone que fue Zorrilla quién influyó en Dumas para modificar el final de su drama.

Otras dos obras francesas que también citan algunos de los estudiosos son *Les âmes du Purgatoire*, de Prospero Merimée, un cuento largo que apareció en la *Revue de deux mondes,* en 1834, y el drama lírico *Le souper chez le Commandeur,* publicado en la misma revista en junio del mismo año. Pero en ambos casos, es muy difícil probar su influencia. Llorens dice que Zorrilla pudo tomar de Merimée la idea del entierro, pero ese tema es uno de los que aparece en la tradición española e incluso, bastante antes, lo utiliza Espronceda en su *Estudiante de Salamanca.*

Desde un punto de vista diferente, David T. Gies, siguiendo las opiniones del hispanista italiano Ermanno Caldera [34], encuentra notables coincidencias entre el TENORIO y las «comedias de magia», un tipo de representación teatral que venía teniendo gran éxito en la escena española. Cita Gies obras como *La pata de cabra* (1829), de Grimaldi, que fue una de las obras más representadas en el siglo. Incluso el propio Hartzenbuch cultivó el género con *La redoma encantada* (1839) y *Los polvos de la madre Celestina* (1841).

En todo caso, las posibles influencias sobre el *Tenorio* de Zorrilla no merman un ápice el logro dramático de la obra. Zorrilla ha sabido dotar a la tradición de una visión personal y propia que le encumbra por encima de la mayoría de los autores que han tocado este mito tan atractivo y sugerente.

---

[34] «No se puede negar que la atmósfera que envuelve las últimas escenas de la obra de Zorrilla, con su incertidumbre entre lo real y lo aparente, revela un estrecho parentesco con las antiguas comedias de magia: sólo que ahora la magia grosera de las tramoyas se ha sustituido por el hechizo más sutil de la poesía» (Ermanno Caldera, «La última etapa de la comedia de magia», en *Actas de VII Congreso Internacional de Hispanistas,* ed. de Giuseppe Bellini, I, Roma, 1982, pág. 253; cit. por David T. Gies en su edición del *Tenorio).*

El romanticismo de Don Juan Tenorio

Para Casalduero[35] gran parte del éxito del TENORIO se debe a su falta de complejidad. Esto, que muchos críticos han considerado un defecto, es, sin embargo, uno de los principales rasgos que definen, no sólo el drama de Zorrilla, sino la mayoría de la dramaturgia romántica. El *yo* romántico no busca la individualización realista, la complejidad humana a la manera galdosiana o de Clarín, sino la trascendencia del ser humano por encima de las circunstancias concretas de la existencia.

Desde esta perspectiva, el héroe romántico se perfila como la acumulación de tópicos que le excluyen de su conflicto personal para sumirlo en la dimensión absoluta de lo simbólico. El personaje romántico es, ante todo, un tipo, un personaje plano en el que puedan reflejarse los anhelos de una mayoría. No importa tanto el individuo como la identificación de los espectadores. Como en un espejo, el espectador romántico irá extrayendo del drama un conjunto de impresiones, emociones, angustias, inquietudes y sensaciones en las que irá dejando su propia vida. La grandeza —y miseria— del drama romántico queda perfectamente esbozada en *La Regenta,* donde Ana Ozores, magníficamente contado por Clarín, vive con doña Inés las penurias de su existencia y la pasión de un afán infinito.

Por eso no puede individualizarse. Un ser concreto, un personaje redondo, bien trazado, a la manera de *Fortunata y Jacinta,* no ofrece nunca las alternativas necesarias para la identificación con el espectador. Se muere en sí mismo, y esto es lo que no quiere Zorrilla ni ninguno de los autores románticos, para quienes la trascendencia de su obras radica en la universalidad de sus mitos. «Don Juan no es humano, vienen a decir los enemigos que recientemente le han salido al más universal de los fantasmas literarios. A lo que se ha de contestar con una

---

[35] Joaquín Casalduero, *Contribución al estudio de don Juan en el teatro español,* Porrúa Turanzas, Madrid, 1975, pág. 136.

pregunta: ¿No consistirá precisamente su grandeza en que no es humano, sino en la medida en que lo son los mitos? Lo engendró la fantasía hispánica, pero no la realidad española; surgió de la leyenda, no de la historia; lo produjo la imaginación creadora, no la observación»[36].

En don Juan se reúnen las principales características del héroe romántico, las que le convierten en mito y las que le han permitido pervivir universalmente. La obra de Zorrilla aglutina perfectamente los rasgos básicos del drama romántico, tanto en lo que se refiere a su génesis como al desarrollo de la acción.

El pasado histórico y literario

En primer lugar, Zorrilla indaga en el pasado histórico para buscar a su personaje, y lo encuentra, no sólo en el Siglo de Oro a través de la comedia de Tirso, sino también en la más rancia tradición, como hemos visto, y extrae de la leyenda el sentir popular que potencia y desarrolla en su drama.

La historia de España esconde un abundante arcón de sucesos, acontecimientos y conflictos extraordinarios, cuya indefinición histórica impide, en muchos casos, diferenciar la realidad de la leyenda, pero que, por eso mismo, es el mejor caldo de cultivo para despertar la imaginación de los románticos y situar en esa época y con esos personajes los anhelos de libertad que caracterizan la ideología de la época.

El misterio

Si bien el misterio que envuelve la figura de don Juan no resalta tanto como, por ejemplo, en don Álvaro, casi todo el primer acto de la obra nos presenta su imagen bajo un disfraz que

---

[36] Ramiro de Maeztu, «Don Juan o el poder», en *Don Quijote, Don Juan y la Celestina,* 11.ª ed., Espasa Calpe, col. Austral, Madrid, 1972, pág. 89.

oculta su personalidad. Si no nos supiéramos la obra casi de memoria, no sería difícil confundir, en este acto, a los personajes que lo protagonizan. Las palabras de Ciutti, que parecen servir de presentación, sólo buscan incrementar la curiosidad del espectador, llegando incluso a negar su nombre al hostelero. Que Zorrilla sitúe la acción de este primer acto en carnaval, no es, por tanto, algo casual, sino el marco apropiado para justificar el aire de misterio que envuelve a la obra.

Pero si este misterio inicial tiene la intención de jugar con la curiosidad del espectador, la personalidad de don Juan sigue siendo un misterio para muchos de los personajes a lo largo de la obra. Con ello, Zorrilla establece un guiño de complicidad con el espectador, le hace sentirse más dentro del drama al dotarle de una serie de claves que los otros personajes no tienen y, de esta manera, incrementa notablemente la tensión y el suspense. Esto es así, por ejemplo, en el juego de ocultaciones del segundo acto, en la conquista engañosa a doña Ana, en la llegada al convento y, sobre todo, en una de las escenas más llamativas de la obra, como lo es el excelente diálogo que mantiene con el escultor.

Honor, valentía y apariencia

La figura de don Juan se dibuja, además, con toda la grandeza de quien atesora las principales virtudes del caballero español: la valentía y el honor. Y en este sentido, Zorrilla muestra todo su talante conservador identificando a don Juan con todos los símbolos del caballero de las comedias del Siglo de Oro. El honor de don Juan está por encima de su propia realidad. La idea de que don Juan es el símbolo de la libertad se resquebraja en cuanto se analizan con ligero detenimiento sus actitudes. Don Juan no es libre porque quizá sea el personaje del Romanticismo más sometido a la dependencia del honor, entendido éste como mera apariencia.

Como en toda la comedia del XVII, el honor de don Juan no radica en sus propios convencimientos, sino en la opinión ajena. Como bien afirma Díez Borque, en la comedia del XVII «la asimilación del honor a la reputación determina que el honor no dependa de su propietario, sino de la opinión de los demás, rigiendo y regulando las relaciones sociales en sus diversas áreas» [37]. Si bien es cierto que el código del honor parte de unos principios más individuales que en la comedia del XVII, una vez asumidos dichos principios, el personaje debe mantenerlos en todo momento y circunstancia. Desde esta perspectiva, don Juan es víctima de sus propios principios, que se asientan en la opinión de los demás, en la apariencia. Las apuestas con don Luis no son ni más ni menos que el intento de presumir delante de los espectadores que le rodean, defendiendo su idea personal de la valentía. Pero estas mismas reglas sociales son las que le condenan: su enfrentamiento con don Gonzalo, al final del cuarto acto, viene provocado porque el orgullo social de don Juan le impide superponer sus deseos más íntimos, sus sentimientos más profundos, por encima de su honor. Y del mismo modo se produce la muerte de don Luis, teniendo en cuenta, además, que la opinión ajena le impulsa a invitar a don Luis —como después hará con el capitán Centellas y Avellaneda— a salir a la calle porque

> no piense después cualquiera
> que os asesiné en mi casa (vv. 3590-3591).

Don Juan no se define a sí mismo, don Juan es un producto de la opinión de los demás y por ello vive. Desde los primeros versos del drama, don Juan se enfrenta a los demás desde su halo de ser superior —«malditos», les llama—, pero sólo existe en su enfrentamiento con ellos. La apariencia, mantener la línea de su valentía como eje fundamental de su vida, mueve la mayoría de las acciones de don Juan. En este sentido, es, pues, don Juan un perfecto seguidor de la línea del

---

[37] J. M. Díez Borque, *Sociología de la comedia española del siglo XVII*, Cátedra, Madrid, 1976, pág. 297.

teatro barroco, donde la opinión de los demás se constituía en la base de la relación social.

Sin embargo, la aportación romántica de Zorrilla se dibuja en su TENORIO desde el momento en que don Juan no se limita a seguir los cánones del honor marcados por la sociedad, sino que establece sus propios principios más allá de la norma existente. Si don Juan no es libre, sino víctima de su propio honor, también es cierto que el «deber» que se ha impuesto implica un alto grado de revolución social. El honor del XVII jamás podría entenderse desde la perspectiva de don Juan. En la comedia del Siglo de Oro, no sólo dependía el honor de la opinión ajena, sino que ésta también fijaba el código. Sin embargo, el gran hallazgo del Romanticismo radica en que el código depende del propio individuo, y así don Juan se convierte en el símbolo de la libertad contra todo lo establecido.

Los grandes principios sociales: familia, obediencia ciega al padre, clases sociales, monarquía, religión, Dios, etc., se van resquebrajando bajo la divagación romántica de don Juan. Las escenas con don Gonzalo y don Diego, en el primer acto, son un ejemplo claro de esta rebelión social. Ellos son quienes representan ese código del honor impuesto y, como don Juan, convencidos de sus principios, luchan y mueren para defenderlos. En el TENORIO no hay sólo un enfrentamiento familiar; hay también un conflicto entre dos concepciones del mundo: la que se asienta en la tradición y la que impone —y se impone— el propio individuo. Don Juan no representa la lucha entre «el deber y el capricho», como afirma Maeztu, sino entre dos «deberes» contradictorios, pero que señalan el inicio de un camino hacia la libertad individual que ya nunca abandonará la sociedad.

El destino

La dependencia del destino no se manifiesta en el TENORIO con la fuerza determinante con que lo hace en otras obras del Romanticismo, y especialmente en el *Don Álvaro o la fuerza del sino*. Sin embargo, también don Juan, como buen héroe romántico, se muestra como un ser determinado por los condicionantes sociales, que le obligan a actuar contra su voluntad. Si la actitud altanera de don Juan es una necesidad impuesta por su propia voluntad, el código del honor ajeno marca de una forma definitiva su destino.

El final del cuarto acto, con la muerte de don Gonzalo y de don Luis, es un ejemplo claro de cómo la sociedad y el entorno determinan su situación vital. Esta fuerza fatal e inexorable que entraña, en casi todas las obras, la aparición de la muerte, se manifiesta en el TENORIO como un condicionante que empuja a don Juan hacia un final trágico. Cuando don Juan grita:

> Llamé al cielo y no me oyó,
> y pues sus puertas me cierra,
> de mis pasos en la tierra
> responda el cielo, no yo (vv. 2620-2624).

estamos asistiendo al momento en que el hombre siente cómo la realidad se impone sobre el anhelo y una fuerza sobrenatural e invencible le empuja por los caminos no deseados. El destino se convierte, así, en un justificación de la culpa. Para el romántico no existe este concepto que atañe a la conciencia individual, sino que se ampara en el valor superior del destino para explicar los acontecimientos como algo determinado y previsto. El determinismo del Romanticismo atañe a todos los personajes. Cuando se supone que don Juan mata al capitán Centellas y a Avellaneda, comienza su magnífico monólogo explicativo con unas palabras justificadoras:

> Culpa mía no fue; delirio insano
> me enajenó la mente acalorada. [...]
> ¡No fui yo, vive Dios!, ¡fue su destino! (vv. 3600-3601/3606).

Sin embargo, la aportación final de Zorrilla supera las coordenadas de la mayoría de las obras románticas en las que el destino se impone como fuerza ciega. Don Álvaro se sumerge en el infierno de su destino, los amantes de Teruel son el producto trágico del suyo. En ambos casos, el individuo se encuentra determinado hasta la muerte. Pero en Zorrilla, «el punto de contrición» final trasciende la dimensión de la tragedia clásica inexorable para alzar la libertad del individuo por encima de su destino. La creencia en Dios como sistema para alcanzar esta libertad puede interpretarse como una dependencia de Zorrilla de las convenciones religiosas. Sin embargo, entraña la idea de que el individuo no es un mero juguete del determinismo, sino que su voluntad se cierne sobre la impuesta. Como afirma Navas Ruiz, «Zorrilla ha superado la singularidad infranqueable de todo destino individual, la ha trascendido, al ligar el desenlace último de dos seres. De este modo, la libertad reemplaza a la fuerza ciega; la solidaridad, a la soledad»[38].

El amor: pasión y fuego

El amor del Romanticismo, como todos los sentimientos en él expresados, se presenta siempre de una forma hiperbólica, exagerada, como una fuerza más del destino que arrastra inexorablemente el discurrir vital de los personajes. Tan es así que Zorrilla no siente necesidad de justificar la pasión amorosa con detalles. Los personajes se asientan en el amor apasionado de una forma natural. Una de las críticas que se hace al TENORIO es, precisamente, la escasa justificación de la relación amorosa. En la hostería, don Juan se «juega» a doña Inés como si de una conquista más se tratase y, sin embargo, en el momento en que Brígida le habla de ella, en el segundo acto y apenas sin conocerla, exclama don Juan:

> Tan incentiva pintura
> los sentidos me enajena,
> y el alma ardiente me llena

---

[38] «Estudio preliminar», en la edición de *Don Juan Tenorio*, Crítica, Barcelona, 1993, pág. XXIV.

de su insensata pasión.
Empezó por una apuesta,
siguió por un devaneo,
engendró luego un deseo,
y hoy me quema el corazón (vv. 1306-1313).

Pero a partir de este momento la pasión amorosa estalla y Zorrilla la gradúa hábilmente para convertirla en el eje central de toda la obra. El tercer acto se centra en el amor que surge del pecho de doña Inés. Por medio de la carta y la habilidad celestinesca de Brígida, doña Inés se entrega en cuerpo y alma a su amado. Como bien indica Cifuentes en su edición del TENORIO, este drama es, ante todo, un perfecto ejemplo del valor de las palabras: «el poder de don Juan se configura, al menos en parte, como poder apoyado en las palabras, poder sobre las palabras, dominio de lenguajes» [39].

La contrapartida de la relación amorosa por parte de don Juan abre el cuarto acto, en ese largo parlamento tan famoso —y tan denostado por el propio Zorrilla—. Aquí ya no hay la más mínima duda y en la segunda intervención de don Juan se preludia el conflicto y final del drama:

No es, doña Inés, Satanás
quien pone este amor en mí:
es Dios, que quiere por ti
ganarme para Él quizás (vv. 2264-2267).

En estas palabras de don Juan se anuncia el poder trascendente de la relación amorosa, que no es sólo una mera pasión humana, sino el camino fundamental hacia la salvación. A partir de este momento, la pasión amorosa se bifurca en un doble sentido: se estrella con la incomprensión terrena, representada por don Gonzalo, a pesar de los versos apasionados de don Juan, que vuelven a definir su amor como salva-

---

[39] Prólogo a su edición de *Don Juan Tenorio, op. cit.*, pág. 40.

dor en la escena IX. Y, ya en la segunda parte, se dirige hacia lo sobrenatural. El monólogo de don Juan, al final de la escena III del primer acto, es un ejemplo excelente de la visión trascendente del amor. Esta intervención de don Juan se contrapone y complementa con la de doña Inés, en la escena IV, con lo que la dualidad amorosa va cerrando sus cauces hasta el final de la obra. En las últimas escenas, explota el Romanticismo en su más amplia y profunda dimensión, cuando doña Inés afirma

> que el amor salvó a don Juan
> al pie de la sepultura (vv. 3794-3795).

Todo el desarrollo de esta pasión amorosa se muestra bajo el prisma de la metáfora —poco original, por cierto— del fuego, hasta el punto de que el amor en el TENORIO parece una alegoría de este tradicional símbolo. Amor y fuego se encuentran ya en Ovidio o Virgilio, y consiguen su máxima expresión en la poesía mística de San Juan de la Cruz y de Santa Teresa.

La primera vez que aparece es en boca de Brígida:

> En fin, mil dulces palabras, [...]
> han inflamado una llama
> de fuerza tal, que ya os ama
> y no piensa más que en vos (vv. 1298-1305).

Toda la escena de la carta está jalonada de alusiones al fuego abrasador que siente doña Inés, e incluso, como bien señala David T. Gies [40], Zorrilla juega con los parónimos «abrasar» y «abrazar», alcanzando una fuerte expresividad y simbolismo. La pasión amorosa se gradúa en estas escenas con referencias concretas a los diferentes estadios del fuego: al

---

[40] En su edición de *Don Juan Tenorio, op. cit.*, pág. 32.

principio es «una chispa ligera», después se convierte en «hoguera» y termina siendo «un volcán».

Existe otra referencia al fuego y al volcán, como también señala muy acertadamente Gies, al final de la obra. En esos momentos, la angustia de don Juan se asienta en la imagen barroca que relaciona volcán con sufrimiento, dolor interior, muerte e infierno [41].

> Dudo..., temo..., vacilo..., en mi cabeza
> siento arder un volcán... (vv. 3612-3613).

Y las llamas del infierno se simbolizan también en la acotación que cierra esta escena y en la siguiente, cuando se alude a las imágenes de «fuego y ceniza», mientras don Gonzalo amenaza la muerte trágica de don Juan.

Satanismo

Estas últimas referencias se vinculan con otro aspecto típico del Romanticismo: la identificación de muchos de los personajes con lo diabólico. Desde el *Don Álvaro,* cuyas escenas finales son el mejor ejemplo de esa visión trágica y desgarradora [42], hasta el TENORIO, en el drama romántico el determinismo de lo diabólico se constituye como una de sus constantes fundamentales. Pérez de Ayala insiste en el satanismo de don Juan y Torrente

---

[41] Los conocidos versos del primer monólogo de Segismundo en *La vida es sueño* aluden a este sentido del término volcán: «En llegando a esta pasión, / un volcán, un Etna hecho, / quisiera sacar del pecho / pedazos del corazón» (Calderón de la Barca, *La vida es sueño,* ed. de Evangelina Rodríguez Cuadros, Espasa Calpe, Madrid, 1998, pág. 89).

[42] DON ÁLVARO.— *(Desde un risco, con sonrisa diabólica, todo convulso, dice:)* Busca, imbécil, al P. Rafael... Yo soy un enviado del infierno, soy el demonio exterminador... Huid, miserables.

TODOS.— ¡Jesús, Jesús!

DON ÁLVARO.— Infierno, abre tu boca y trágame. Húndase el cielo, perezca la raza humana; exterminio, destrucción... *(Sube a lo más alto del monte y se precipita.)* (ed. cit., pág. 133).

Ballester escribe su conocida novela a partir del presupuesto de que ambas figuras, don Juan y el diablo, son la misma persona.

El satanismo de don Juan se muestra en las intervenciones de casi todos los personajes. Don Luis Mejía confiesa su derrota ante un hombre que «es un satanás», o que «es un hombre infernal»; también para Brígida es un diablo; para don Gonzalo, don Juan es «un hijo de Satanás»; el escultor le llama «Lucifer», etc. Pero las opiniones de estos personajes identifican a don Juan con el diablo desde la perspectiva social, en cuanto que es capaz de rebelarse contra todo lo establecido. Sin embargo, este satanismo adquiere mayor realce cuando se introduce en el conflicto por medio de las palabras de doña Inés o del propio don Juan. Doña Inés, en la escena III del cuarto acto dice:

> Tal vez Satán puso en vos
> su vista fascinadora,
> su palabra seductora,
> y el amor que negó a Dios (vv. 2240-2244).

Pero Don Juan le contesta inmediatamente que el causante de su amor no es el diablo, sino el propio Dios. En esta contraposición se centra el principal conflicto de la obra. Si el satanismo, como fuerza ciega y malvada, arrastra a don Juan al inicio del drama, tras esta conversación se da entrada a la fuerza contraria, la divina, que se convertirá en el eje central de la segunda parte.

En el satanismo de don Juan, Zorrilla está, además, introduciendo un nuevo mensaje que potencia el determinismo romántico. Don Juan no actúa así por propia convicción, sino que es, como muchos otros héroes románticos, un dictado del destino. Para Varela, «no se trata de un tópico literario, sino de la convicción zorrillesca de que el amor donjuanesco es demoníaco por esencia» [43]. La estructura maniquea

---

[43] En su edición de *Don Juan Tenorio, op. cit.*, pág. XVII.

de la obra, el conflicto entre el bien y el mal adquiere así verdadera fuerza igualatoria: no es don Juan quien se enfrenta a Dios, es el propio Satán quien tiene la oportunidad de salvarse. La rebelión implícita en el diablo se trastoca en la magnanimidad de la misericordia divina. La postura de Zorrilla entraña la reducción y asimilación cristiana de lo diabólico, frente a la visión verdaderamente trágica de don Álvaro.

Magia y fantasía

Desde el mismo subtítulo de la obra —drama religioso-fantástico—, Zorrilla enmarca la acción en el plano de lo sobrenatural y de la magia. Ya hemos señalado cómo Gies considera que esta proliferación de efectos mágicos en el TENORIO no procede de la dramaturgia romántica, sino de las comedias de magia, que gozaron de gran predicamento en la época [44]. Sin embargo, el hecho de que estos efectos concretos no abunden en los dramas románticos no quiere decir que lo fantástico del TENORIO deba proceder de las comedias de magia. En todo caso, la posible influencia de estas comedias se debe a que coinciden plenamente con la estética del Romanticismo. De hecho, en otras obras románticas se pueden encontrar ejemplos similares: *El diablo mundo,* de Espronceda, comienza con un escuadrón de espectros cabalgando en cabras, serpientes y escobas. Lara, en *El moro expósito,* del duque de Rivas, tiene una visión de siete cuerpos sin cabeza que le tienden los brazos desde un mar de sangre, y luego de siete blancos fantasmas envueltos en fría niebla y clamando venganza. En las leyendas de Rivas y en las de

---

[44] Afirma Gies que «el lector descubrirá en seguida que no hay en los dramas de los autores románticos sombras que hablen, almas que vuelen, muros transparentes o flores que desaparezcan» (edición de *Don Juan Tenorio, op. cit.,* pág. 26).

Zorrilla abundan también casos similares. Y en los dramas de Zorrilla se repiten varias veces escenas parecidas: en *La copa de marfil,* por ejemplo, Rosamunda bebe en una copa que está hecha con el cráneo de su padre; en *El alcalde Ronquillo,* el alcalde muerto vuelve a la vida, y en *El zapatero y el rey,* don Pedro consulta a un astrólogo y tiene lugar una escena terrorífica en la que la luz de una lámpara se confunde con la sangre.

En Zorrilla, la tumba, uno de los espacios predilectos del Romanticismo, se adorna con todos los efectos mágicos de lo sobrenatural. La acotación que abre la segunda parte y, sobre todo, la que cierra la escena I del acto tercero son un ejemplo característico de esa búsqueda de impresión en el espectador. La imagen de lo sobrenatural, dc lo gótico y de lo fantástico transforma el drama en un espectáculo de puro teatro, donde no cabe más salida que la inmersión emocional y plena en el halo de lo sorprendente.

En la misma línea, se cierne la famosa escena en la que don Juan parece asistir a su propio entierro y que, como hemos visto, posee también una larga tradición literaria. La confusión de planos, realidades y ficciones no es más que el reflejo de una concepción irracional del mundo, donde no cabe establecer los destinos de antemano y en la que el hombre, a la manera del barroco, busca en el sueño el anhelo eterno de la inmortalidad.

El plazo

En el mismo título de la obra de Zamora, *No hay plazo que no se cumpla...,* la idea del tiempo que discurre de una forma inexorable se convierte en uno de los elementos claves del TENORIO, pero también jalona casi toda la producción dramática del Romanticismo y provoca un efecto de suspense, como en la actualidad ha sabido llevar al cine con verdadera maestría Hitchcock. En el TENORIO, la acción se inicia con un plazo marcado por una apuesta. Buttarelli duda de que se cumpla el plazo.

> BUTTARELLI.—¡Quia!, ni esperanza:
> el fin de plazo se avanza,
> y estoy cierto que maldita
> la memoria que ninguno
> guarda de ello (vv. 90-94).

Tras esta apuesta, surge un nuevo plazo en el que los días se acortan a sólo seis para conquistar a doña Ana de Pantoja y a doña Inés (vv. 676-680); pero el plazo más significativo y angustioso es el que se establece al final de la obra, en el momento de la muerte. En este caso, el tiempo se va reduciendo angustiosamente. Zorrilla gradúa la intensidad dramática intercalando hábilmente las palabras y hechos de don Gonzalo y don Juan. La estatua de don Gonzalo anuncia el plazo en la escena II del acto segundo, y en la misma escena del tercero, también don Gonzalo avisa de su conclusión. El reloj de arena potencia considerablemente la angustia del tiempo. Zorrilla mantiene la tensión hasta el final, jugando con las emociones del espectador para provocar en él esa misma sensación de angustia que siente su héroe.

Maniqueísmo: ideología y estructura

Si toda la obra se basa en el conflicto dramático, maniqueo y simplista, del enfrentamiento entre el bien y el mal, Dios y el diablo, Zorrilla ha sabido trasladar ese conflicto, propio del auto sacramental, a la estructura de la obra, de tal manera que juega constantemente con los paralelismos, dualismos y bipolaridades de la acción. Esta construcción obedece a una técnica popular y en ella se basa gran parte del éxito de la obra porque la dota de una firme y mantenida tensión dramática. Si esquematizamos su contenido podría comprobarse cómo los grandes temas se presentan de una forma dicotómica y, al mismo tiempo, se matizan en acciones paralelas concretas. Podemos señalar hasta cuatro niveles de concreción del planteamiento dual:

Primer nivel: *los grandes temas.*— Entre la primera y la segunda parte se muestran los conflictos fundamentales y trascendentes del drama

PRIMERA PARTE (actos I, II, y III)	SEGUNDA PARTE
El mal	El bien
El diablo	Dios
Irreverencia	Humildad

Acto IV
Confusión de planos
El Diablo a las puertas del Cielo

Segundo nivel: *los conflictos de don Juan.*— Este esquema dual tiene un segundo grado de concreción en los enfrentamientos entre don Juan y los diversos personajes a lo largo de la obra.

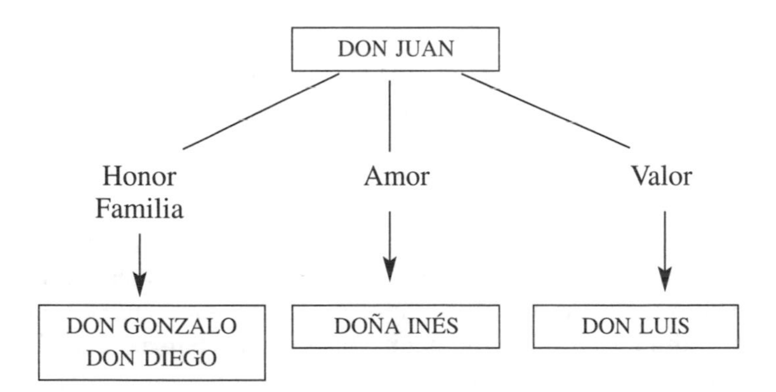

Tercer nivel: *acciones paralelas.*— El planteamiento dual se concreta en una serie de acciones paralelas que tienen lugar en toda la obra pero, especialmente, en el primer acto.

Presentación de personajes:
  don Juan - don Luis } Distribución simétrica
  don Gonzalo - don Diego } en la escena
Apuesta:
  Listas de ambos
Traición:
  Denuncia y detención de ambos
Doña Ana:
  don Luis - Pascual
  don Juan - Ciutti
Invitación y cena:
  don Juan- don Gonzalo
Cementerio:
  Infierno (don Gonzalo) - Cielo (doña Inés)

Cuarto nivel: *repetición de diálogos.*— También el lenguaje sigue esta misma estructura paralela, de tal manera que en el TENORIO no solamente se repiten las formas dialogadas, sino también, a veces, las mismas palabras.

Hostería:	Entradas de don Gonzalo y don Diego.
Apuesta:	Listas de don Juan y don Luis.
Doña Inés:	Comentarios de Brígida y la Abadesa.
Muerte:	Don Juan frente a don Gonzalo.
	Don Juan frente a don Luis.
Fantasmas:	Sombra de doña Inés.
	Estatua de don Gonzalo.

Especial significado tiene en esta repetición de versos los empleados por don Juan en su lista y recordados en el momento final (vv. 501-510/3728-3737), cuya variación de los dos últimos acrecienta el matiz condenatorio e incrementa la tensión dramática.

Con todos estos factores Zorrilla ha situado a su DON JUAN TENORIO entre las obras más conocidas, si no la más, del teatro español. El personaje adquiere así la grandeza del mito pero, al mismo tiempo, la construcción popular y el ritmo vivo y ágil del verso permiten que su recuerdo permanezca y que sus representaciones se mantengan entre nosotros con un éxito mayor que el día de su estreno.

JUAN FRANCISCO PEÑA

BIBLIOGRAFÍA SELECTA

EDICIONES MÁS REPRESENTATIVAS

Don Juan Tenorio. Drama religioso-fantástico en dos partes, Imprenta de Repullés, Madrid, 1844.

Don Juan Tenorio. Drama religioso-fantástico en dos partes, en *Obras de D. José Zorrilla, nueva edición corregida, y la sola reconocida por el autor, con su biografía por Ildefonso de Ovejas,* II, *Obras dramáticas,* Baudry, Librería Europea, París, 1852, págs. 421-478.

Don Juan Tenorio. Drama religioso-fantástico en dos partes, en *Obras dramáticas y líricas de D. José Zorrilla,* I, Madrid, Tip. de los sucesores de Cuesta, 1895, págs. 297-391.

Don Juan Tenorio. Drama religioso-fantástico en dos partes, en *Obras completas de José Zorrilla,* II, ed. de Narciso Alonso Cortés, Santarén, Valladolid, 1943, págs. 1267-1318.

Don Juan Tenorio. Drama religioso-fantástico en dos partes, edición facsímil del manuscrito, ed. de José Luis Varela, Real Academia Española, Madrid, 1974.

Don Juan Tenorio. Drama religioso-fantástico en dos partes, ed. de José Luis Varela, Espasa Calpe, Clásicos Castellanos, Madrid, 1975.

Don Juan Tenorio. Drama religioso-fantástico en dos partes, ed. de Salvador García Castañeda, Labor, Barcelona, 1975.

Don Juan Tenorio. Drama religioso-fantástico en dos partes, ed. de José Luis Gómez, Planeta, Barcelona, 1984.

Don Juan Tenorio. Drama religioso-fantástico en dos partes. Un testigo de bronce, ed. de Jean-Louis Picoche, Taurus, Madrid, 1985.

Don Juan Tenorio. Drama religioso-fantástico en dos partes, ed. de Jorge Campos, Alianza, Madrid, 1985.

Don Juan Tenorio. Drama religioso-fantástico en dos partes, ed. de Aniano Peña, Cátedra, Madrid, 1986.

Don Juan Tenorio. El Burlador de Sevilla, ed. de Carmen Romero, estudio preliminar «Don Juan: infierno y gloria», ed. de Francisco Rico, Círculo de Lectores, Barcelona, 1990.

Don Juan Tenorio. Drama religioso-fantástico en dos partes, ed. de Luis Fernández Cifuentes, estudio preliminar de Ricardo Navas Ruiz, Crítica, Barcelona, 1993.

Don Juan Tenorio. Drama religioso-fantástico en dos partes, ed. de David T. Gies, Castalia, Madrid, 1994.

Estudios

Agustín, Francisco de, *Don Juan en el teatro, en la novela y en la vida,* Páez, Madrid, 1928.

Alberich, José, «Sobre la popularidad de *Don Juan Tenorio*», *Ínsula,* 204 (noviembre 1963), págs. 1-10.

Alonso Cortés, Narciso, *Zorrilla: su vida y su obra,* Santarén, Valladolid, 1943.

Baquero, Arcadio, *Don Juan y su evolución dramática. El personaje teatral en seis comedias españolas,* Editora Nacional, Madrid, 1966.

Bonachera, Trinidad, y Piñero, María Gracia, *Hacia don Juan,* Biblioteca de Temas Sevillanos, Ayuntamiento de Sevilla, 1985.

Cansinos-Assens, Rafael, «El mito de don Juan», en *Evolución de los temas literarios,* Ercilla, Santiago de Chile, 1936.

Casalduero, Joaquín, *Contribución al estudio del tema de don Juan en el teatro español,* José Purrúa Turranzas, Madrid, 1975.

CASTRO, Américo, «Don Juan en la literatura española», en *Cinco ensayos sobre Don Juan,* Nueva Época, Santiago de Chile, 1937.

CYMERMAN, Claude, *Análisis de Don Juan Tenorio,* Centro Editor de América Latina, Buenos Aires, 1968.

EGIDO, Aurora, «Sobre la demonología de los burladores (de Tirso a Zorrilla)», *Cuadernos de Teatro Clásico,* II. (1988).

FEAL DEIBE, Carlos, *En nombre de don Juan (Estructura de un mito literario),* John Benjamins Publishing Company, Amsterdam, 1984.

GARCÍA BERRIO, Antonio, *La figura de don Juan en el postromanticismo español,* Universidad de Murcia, Murcia, 1967.

GENDARME DE BEVOTTE, Georges, *La légende de don Juan,* Hachette, París, 1929.

GIES, David T., «*Don Juan Tenorio* y la tradición de la comedia de magia», *Hispanic Review,* 59 (1990).

GRAU, Jacinto, *Don Juan en el tiempo y en el espacio. Análisis histórico-psicológico,* Raigal, Buenos Aires, 1953.

ISASI ANGULO, Amando C., «Don Juan: evolución dramática del mito», en su edición de cinco obras sobre el mito de don Juan, Bruguera, Barcelona, 1972.

JIMÉNEZ PLACER, Fernando, *Centenario del estreno de «Don Juan Tenorio»,* Instituto Nacional del Libro Español, Madrid, 1944.

LAFORA, Gonzalo, «La psicología de don Juan», en *Don Juan, los milagros y otros ensayos,* Biblioteca Nueva, Madrid, 1927; reed. Alianza, Madrid, 1975.

LAÍN ENTRALGO, Pedro, «Otra vez don Juan», en *La aventura de leer,* Espasa Calpe, Madrid, 1956.

LÓPEZ NÚÑEZ, Juan, *«Don Juan Tenorio» en el teatro, la novela y la poesía,* Prensa Castellana, Madrid, 1946.

MADARIAGA, Salvador, *Don Juan y la donjuanía,* Sudamericana, Buenos Aires, 1950.

MAEZTU, Ramiro, *Don Quijote, Don Juan y la Celestina,* Calpe, Madrid, 1926; reed. Espasa Calpe, Madrid, 1945.

MARAÑÓN, Gregorio, *Don Juan,* Espasa Calpe, Madrid, 1940.
ORTEGA Y GASSET, José, «Introducción a un Don Juan», *El Sol* (11 de junio de 1921); reed. en *Obras Completas,* VI. Revista de Occidente, Madrid, 1964.
PÉREZ DE AYALA, Ramón, «Don Juan», en *Las máscaras,* Renacimiento, Madrid, 1924; reed. en *Obras Completas,* III, Aguilar, Madrid, 1963.
ROUSSET, Albert, *El mito de don Juan,* Fondo de Cultura Económica, México, 1985.
RUBIO FERNÁNDEZ, Luz, «Variaciones estilísticas del *Tenorio*», *Revista de Literatura,* 19 (1961).
RUIZ RAMÓN, Francisco, «Zorrilla y el genio de la teatralización», en *Historia del teatro español, desde sus orígenes hasta mil novecientos,* Alianza, Madrid, 1967.
SÁENZ ALONSO, Mercedes, *Don Juan y el donjuanismo,* Guadarrama, Madrid, 1969.
SÁIZ ARMESTO, Víctor, *La leyenda de Don Juan: Orígenes poéticos de «El burlador de Sevilla y Convidado de piedra»,* Hernando, Madrid, 1908.
SIERRA CORELLA, Antonio, «El drama *Don Juan Tenorio*: Bibliografía y comentarios», *Bibliografía Hispánica,* 3, 1944.
UNAMUNO, Miguel de, «Sobre don Juan Tenorio», *La Nación,* Buenos Aires (24 de febrero de 1908); reed. en *Mi religión y otros ensayos,* Espasa Calpe, Madrid, 1945.

ESTA EDICIÓN

Esta edición sigue la fijada por Luis Varela para Clásicos Castellanos, Espasa Calpe, Madrid, 1975, quien, a su vez, se basa en la edición parisina hecha por la casa Baudry, Librería Europea, y presentada bajo el siguiente título: *Obras de D. José Zorrilla. Nueva edición corregida y la sola reconocida por el autor. Con su biografía por Ildefonso de Ovejas*, París, 1852, págs. 421-478.

Éste es el texto que siguen la mayoría de las ediciones modernas, que también hemos consultado y comparado con la edición base, incluyendo algunas ligeras variantes dignas de mención y que señalamos en las notas. La relación de ediciones abre el primer apartado de la bibliografía.

Las notas pretenden una lectura más comprensiva y, por tanto, aclaran el concepto de ciertos términos, añaden información histórica a algunas referencias, explican el significado de alusiones diversas y vinculan la obra con otras del mismo autor o con otras de la época que permitan profundizar en el sentido total.

DON JUAN TENORIO

DRAMA RELIGIOSO-FANTÁSTICO EN DOS PARTES

Al señor
DON FRANCISCO LUIS DE VALLEJO
en prenda de buena memoria,
su mejor amigo,
Madrid, marzo de 1844.

JOSÉ ZORRILLA *

---

* En *Recuerdos del tiempo viejo,* Zorrilla habla del aprecio que sentía por Vallejo, corregidor Lerma en 1835. «Dos figuras bellísimas, dos imágenes tan queridas como nunca olvidadas, resaltan en este cuadro de mis recuerdos: la de mi madre y la de Paco Luis de Vallejo, corregidor de Lerma en 1835, a quien dediqué mi *Don Juan Tenorio* en 1844» *(Obras Completas,* II, Santarén, Valladolid, 1943, pág. 1810).

PERSONAS

DON JUAN TENORIO
DON LUIS MEJÍA
DON GONZALO DE ULLOA, comendador de Calatrava *
DON DIEGO TENORIO
DOÑA INÉS DE ULLOA
DOÑA ANA DE PANTOJA
CRISTÓFANO BUTTARELLI
MARCOS CIUTTI **
BRÍGIDA

---

* El Comendador era el máximo dignatario de la orden militar de Calatrava, una de las más prestigiosas de España. La orden de Calatrava se fundó en 1159, bajo el reinado de Sancho III, rey de Castilla, y fue confirmada por el papa Inocencio III en 1198. Las órdenes militares, creadas en su inicio para defender la frontera frente a los árabes, gozaron de gran prestigio social. Este personaje aparece también en otras obras anteriores del tema del *Don Juan,* como son *El burlador de Sevilla,* de Tirso de Molina, y *No hay plazo que no se cumpla ni deuda que no se pague,* de Antonio de Zamora.

** Los personajes de Ciutti y Buttarelli están sacados de la vida real de Zorrilla. En sus *Recuerdos* dice: «La prueba más palpable de que hablaba yo en ella y no Don Juan, es que los personajes que en escena esperaban, más a mí que a él, eran Ciutti, el criado italiano que Jústiz, Allo y yo habíamos tenido en el café del Turco de Sevilla, y Girólamo Buttarelli, el hostelero que me había hospedado el año 42 en la calle del Carmen. [...] Ciutti era un pillete, muy listo, que todo se lo encontraba hecho, a quien nunca se encontraba en su sitio al primer llamamiento, y a quien otro camarero iba inmediatamente a buscar fuera del café a una de dos casas de la vecindad, en una de las cuales se vendía vino más o menos adulterado, y en otra, carne más o menos fresca. Ciutti, a quien hizo célebre mi drama, logró fortuna, según me han dicho, y se volvió a Italia.

PASCUAL
EL CAPITÁN CENTELLAS
DON RAFAEL DE AVELLANEDA
LUCÍA
LA ABADESA DE LAS CALATRAVAS DE SEVILLA
LA TORNERA DE ÍDEM
GASTÓN
MIGUEL
UN ESCULTOR
DOS ALGUACILES
UN PAJE (que no habla)
LA ESTATUA DE DON GONZALO (él mismo)
LA SOMBRA DE DOÑA INÉS (ella misma)
CABALLEROS SEVILLANOS, ENCUBIERTOS, CURIOSOS, ESQUELETOS, ESTATUAS, ÁNGELES, SOMBRAS, JUSTICIA y PUEBLO

La acción en Sevilla por los años 1545, últimos del Emperador Carlos V. Los cuatro primeros actos pasan en una sola noche. Los tres restantes, cinco años después, y en otra noche

---

»Buttarelli era el más honrado hostelero de la villa del Oso. [...] Era célebre por unas chuletas esparrilladas, las más grandes, jugosas y baratas que en Madrid se han comido y tenía vanidad Buttarelli en la inconcebible prontitud con que las servía. Tenían las tales chuletas no pocos aficionados; y con ellas y con unos *tortellini* napolitanos, se sostenía el establecimiento. [...] Este buen viejo, desanidado de su vieja casa, murió tan pobre como honrado y desconocido, y de él no queda más que el recuerdo que yo me complazco en consagrarle en estos míos de aquel tiempo viejo» («Cuatro palabras sobre mi *Don Juan Tenorio»,* en *Recuerdos..., Obras Completas,* II, págs. 1800-1801).

PARTE PRIMERA

ACTO PRIMERO

Libertinaje y escándalo

PERSONAS

DON JUAN, DON LUIS, DON DIEGO, DON GONZALO, BUTTARELLI, CIUTTI, CENTELLAS, AVELLANEDA, GASTÓN, MIGUEL, CABALLEROS, CURIOSOS, ENMASCARADOS, RONDAS

Hostería de CRISTÓFANO BUTTARELLI. *Puerta en el fondo que da a la calle: mesas, jarros y demás utensilios propios de semejante lugar.*

ESCENA PRIMERA

DON JUAN, *con antifaz, sentado a una mesa escribiendo;* BUTTARELLI *y* CIUTTI, *a un lado esperando. Al levantarse el telón, se ven pasar por la puerta del fondo* MÁSCARAS, ESTUDIANTES *y* PUEBLO *con hachones*, músicas, etc.*

JUAN. ¡Cuál gritan esos malditos!
Pero, ¡mal rayo me parta
si en concluyendo la carta
no pagan caros sus gritos! *(Sigue escribiendo.)*

---

* *hachones*: especies de antorchas.

1 *Cuál:* «cómo», uso anticuado.

BUTTA. *(A* CIUTTI.)
Buen Carnaval.
CIUTTI. *(A* BUTTARELLI.)
Buen agosto 5
para rellenar la arquilla.
BUTTA. ¡Quia! Corre ahora por Sevilla
poco gusto y mucho mosto.
Ni caen aquí buenos peces,
que son casas mal miradas 10
por gentes acomodadas
y atropelladas a veces.
CIUTTI. Pero hoy...
BUTTA. Hoy no entra en la cuenta,
Ciutti: se ha hecho buen trabajo.
CIUTTI. ¡Chist! Habla un poco más bajo, 15
que mi señor se impacienta
pronto.
BUTTA. ¿A su servicio estás?
CIUTTI. Ya ha un año.
BUTTA. ¿Y qué tal te sale?
CIUTTI. No hay prior que se me iguale;
tengo cuanto quiero, y más. 20
Tiempo libre, bolsa llena,
buenas mozas y buen vino.
BUTTA. ¡Cuerpo de tal, qué destino!
CIUTTI. *(Señalando a* DON JUAN.)
Y todo ello a costa ajena.
BUTTA. ¿Rico, eh?
CIUTTI. Varea la plata. 25

---

5 *buen agosto:* se refiere a «hacer su agosto», conseguir beneficios.

10 Valera emplea *cosas,* pero Cifuentes y Gies prefieren *casas.* Optamos por esta versión porque es más lógica en el contexto.

23 *Cuerpo de tal:* «Especie de interjección o juramento, que explica a veces la admiración» *(Diccionario de Autoridades).*

25 *Varea la plata:* Tiene tanto dinero que lo puede medir por varas. La vara era una medida de longitud equivalente a 83 cm.

BUTTA. ¿Franco?
CIUTTI. Como un estudiante.
BUTTA. ¿Y noble?
CIUTTI. Como un infante.
BUTTA. ¿Y bravo?
CIUTTI. Como un pirata.
BUTTA. ¿Español?
CIUTTI. Creo que sí.
BUTTA. ¿Su nombre?
CIUTTI. Lo ignoro en suma. 30
BUTTA. ¡Bribón! ¿Y dónde va?
CIUTTI. Aquí.
BUTTA. Largo plumea.
CIUTTI. Es gran pluma.
BUTTA. ¿Y a quién mil diablos escribe
tan cuidadoso y prolijo?
CIUTTI. A su padre.
BUTTA. ¡Vaya un hijo! 35
CIUTTI. Para el tiempo en que se vive,
es un hombre extraordinario.
Mas, silencio.
JUAN. *(Cerrando la carta.)*
Firmo y plego.
¿Ciutti?
CIUTTI. ¿Señor?
JUAN. Este pliego
irá dentro del horario 40
en que reza doña Inés
a sus manos a parar.
CIUTTI. ¿Hay respuesta que aguardar?

---

32 *Largo plumea:* se refiere a la longitud de la carta que está escribiendo, aunque también puede aludir a la forma de vida de don Juan, volátil e inconstante como una pluma.

40 *horario:* se refiere a un libro de horas, devocionarios dedicados a la Virgen que gozaron de gran popularidad a partir del siglo XV.

JUAN. Del diablo con guardapiés
que la asiste, de su dueña, 45
que mis instrucciones sabe,
recogerás una llave,
una hora y una seña;
y más ligero que el viento
aquí otra vez.
CIUTTI. Está bien. *(Vase.)* 50

ESCENA II

DON JUAN, BUTTARELLI

JUAN. Cristófano, vieni quà.
BUTTA. Eccellenza!
JUAN. Senti.
BUTTA. Sento.
Ma ho imparato il castigliano,
se è più facile al signor
la sua lingua...
JUAN. Sí, es mejor; 55
lascia dunque il tuo toscano,
y dime: ¿don Luis Mejía
ha venido hoy?

---

44 *guardapiés:* «Lo mismo que brial. Género de vestido o traje de que usan las mujeres, que se ciñe y ata por la cintura, y baja en redondo hasta los pies, cubriendo todo el medio cuerpo» *(Diccionario de Autoridades).*

51-56 JUAN. Cristófano, ven aquí.
BUTTA. Excelencia.
JUAN. Escucha.
BUTTA. Escucho.
Mas he aprendido el castellano,
si es más fácil al señor
en su lengua...
JUAN. Sí, es mejor;
deja, pues, tu toscano *[lengua de Italia]*

BUTTA. Excelencia,
no está en Sevilla.
JUAN. ¿Su ausencia
dura en verdad todavía? 60
BUTTA. Tal creo.
JUAN. ¿Y noticia alguna
no tienes de él?
BUTTA. ¡Ah! Una historia
me viene ahora a la memoria
que os podrá dar...
JUAN. ¿Oportuna
luz sobre el caso?
BUTTA. Tal vez. 65
JUAN. Habla, pues.
BUTTA. *(Hablando consigo mismo.)*
No, no me engaño:
esta noche cumple el año,
lo había olvidado.
JUAN. ¡Pardiez!
¿Acabarás con tu cuento?
BUTTA. Perdonad, señor: estaba 70
recordando el hecho.
JUAN. ¡Acaba,
vive Dios!, que me impaciento.
BUTTA. Pues es el caso, señor,
que el caballero Mejía
por quien preguntáis, dio un día 75
en la ocurrencia peor
que ocurrírsele podía.
JUAN. Suprime lo al hecho extraño;
que apostaron me es notorio
a quien haría en un año, 80
con más fortuna, más daño,
Luis Mejía y Juan Tenorio.
BUTTA. ¿La historia sabéis?

JUAN. Entera;
por eso te he preguntado
por Mejía.
BUTTA. ¡Oh! Me pluguiera 85
que la apuesta se cumpliera,
que pagan bien y al contado.
JUAN. ¿Y no tienes confianza
en que don Luis a esta cita
acuda?
BUTTA. ¡Quia! Ni esperanza: 90
el fin del plazo se avanza,
y estoy cierto que maldita
la memoria que ninguno
guarda de ello.
JUAN. Basta ya.
Toma.
BUTTA. ¡Excelencia! *(Saluda profundamente.)*
¿Y de alguno 95
de ellos sabéis vos?
JUAN. Quizá.
BUTTA. ¿Vendrán, pues?
JUAN. Al menos uno;
mas por si acaso los dos
dirigen aquí sus huellas
el uno del otro en pos, 100
tus dos mejores botellas
prevénles.
BUTTA. Mas...
JUAN. ¡Chito!... Adiós.

---

85 *pluguiera:* forma arcaica de *placer.* «Me gustaría». Este término y otros similares pretenden situar la lengua de la obra en el marco histórico en que se desarrolla la acción.

ESCENA III

BUTTARELLI

¡Santa Madonna! De vuelta
Mejía y Tenorio están
sin duda... y recogerán 105
los dos la palabra suelta.
¡Oh!, sí; ese hombre tiene traza
de saberlo a fondo. *(Ruido dentro.)* ¿Pero
qué es esto? *(Se asoma a la puerta.)*
¡Anda! ¡El forastero
está riñendo en la plaza! 110
¡Válgame Dios! ¡Qué bullicio!
¡Cómo se le arremolina
chusma...! ¡Y cómo la acoquina
él solo...! ¡Puf! ¡Qué estropicio!
¡Cuál corren delante de él! 115
No hay duda, están en Castilla
los dos, y anda ya Sevilla
toda revuelta. ¡Miguel!

ESCENA IV

BUTTARELLI, MIGUEL

MIGUEL. Che comanda?
BUTTA. Presto qui
servi una tavola, amico: 120
e del Lacryma più antico
porta due bottiglie.

---

103 *¡Santa Madonna!:* típica expresión italiana que se podría traducir por *¡Virgen Santa!*

116 En el siglo XVI, Sevilla pertenecía al reino de Castilla.

119-127 MIGUEL. ¿Qué ordena?
BUTTA. Rápido, aquí
dispón una mesa, amigo;
y del Lágrima* más viejo
trae dos botellas.

MIGUEL. Sí,
signor padron.
BUTTA. Micheletto,
apparecchia in carità
lo più rico que si fa: 125
affrettati!
MIGUEL. Già mi affretto,
signor padrone. *(Vase.)*

ESCENA V

BUTTARELLI, DON GONZALO

GONZA. Aquí es.
¿Patrón?
BUTTA. ¿Qué se ofrece?
GONZA. Quiero
hablar con el hostelero.
BUTTA. Con él habláis; decid, pues. 130
GONZA. ¿Sois vos?
BUTTA. Sí; mas despachad,
que estoy de priesa.
GONZA. En tal caso,
ved si es cabal y de paso
esa dobla, y contestad.

MIGUEL. Sí,
señor patrón.
BUTTA. Miguelito,
prepara, por favor,
lo más sabroso que haya;
¡date prisa!
MIGUEL. Voy corriendo,
señor patrón.

* *Vino blanco italiano de la región de Nápoles.*

134 *dobla:* moneda de oro castellana de la baja Edad Media que se convirtió en la principal unidad áurea de Castilla.

BUTTA. ¡Oh, excelencia!
GONZA. ¿Conocéis 135
a don Juan Tenorio?
BUTTA. Sí.
GONZA. ¿Y es cierto que tiene aquí
hoy una cita?
BUTTA. ¡Oh! ¿Seréis
vos el otro?
GONZA. ¿Quién?
BUTTA. Don Luis.
GONZA. No; pero estar me interesa 140
en su entrevista.
BUTTA. Esta mesa
les preparo; si os servís
en esotra colocaros,
podréis presenciar la cena
que les daré... ¡Oh! Será escena 145
que espero que ha de admiraros.
GONZA. Lo creo.
BUTTA. Son, sin disputa,
los dos mozos más gentiles
de España.
GONZA. Sí, y los más viles
también.
BUTTA. ¡Bah! Se les imputa 150
cuanto malo se hace hoy día;
mas la malicia lo inventa,
pues nadie paga su cuenta
como Tenorio y Mejía.
GONZA. ¡Ya!
BUTTA. Es afán de murmurar 155
porque conmigo, señor,
ninguno lo hace mejor,
y bien lo puedo jurar.
GONZA. No es necesario: mas...
BUTTA. ¿Qué?

GONZA. Quisiera yo ocultamente 160
verlos, y sin que la gente
me reconociera.

BUTTA. A fe
que eso es muy fácil, señor.
Las fiestas de carnaval,
al hombre más principal 165
permiten, sin deshonor
de su linaje, servirse
de un antifaz, y bajo él,
¿quién sabe, hasta descubrirse,
de qué carne es el pastel? 170

GONZA. Mejor fuera en aposento
contiguo...

BUTTA. Ninguno cae
aquí.

GONZA. Pues entonces, trae
el antifaz.

BUTTA. Al momento.

ESCENA VI

DON GONZALO

No cabe en mi corazón 175
que tal hombre pueda haber,
y no quiero cometer
con él una sinrazón.
Yo mismo indagar prefiero
la verdad..., mas, a ser cierta 180
la apuesta, primero muerta
que esposa suya la quiero.
No hay en la tierra interés
que, si la daña, me cuadre;
primero seré buen padre, 185
buen caballero después.

Enlace es de gran ventaja,
mas no quiero que Tenorio
del velo del desposorio
la recorte una mortaja. 190

ESCENA VII

DON GONZALO; BUTTARELLI, *que trae un antifaz*

BUTTA. Ya está aquí.
GONZA. Gracias, patrón:
¿Tardarán mucho en llegar?
BUTTA. Si vienen no han de tardar:
cerca de las ocho son.
GONZA. ¿Ésa es hora señalada? 195
BUTTA. Cierra el plazo, y es asunto
de perder, quien no esté a punto
de la primer campanada.
GONZA. Quiera Dios que sea una chanza,
y no lo que se murmura. 200
BUTTA. No tengo aún por muy segura
de que cumplan, la esperanza;
pero si tanto os importa
lo que en ello sea saber,
pues la hora está al caer, 205
la dilación es ya corta.
GONZA. Cúbrome, pues, y me siento. *(Se sienta en una mesa a la derecha y se pone el antifaz.)*
BUTTA. (Curioso el viejo me tiene
del misterio con que viene...
Y no me quedo contento 210
hasta saber quién es él). *(Limpia y trajina, mirándole de reojo.)*
GONZA. (¡Que un hombre como yo tenga
que esperar aquí, y se avenga
con semejante papel!

En fin, me importa el sosiego 215
de mi casa, y la ventura
de una hija sencilla y pura,
y no es para echarlo a juego).

ESCENA VIII

DON GONZALO, BUTTARELLI; DON DIEGO,
a la puerta del fondo

DIEGO. La seña está terminante,
aquí es: bien me han informado; 220
llego, pues.
BUTTA. ¿Otro embozado?
DIEGO. ¡Ah de esta casa!
BUTTA. Adelante.
DIEGO. ¿La hostería del laurel?
BUTTA. En ella estáis, caballero.
DIEGO. ¿Está en casa el hostelero? 225
BUTTA. Estáis hablando con él.
DIEGO. ¿Sois vos Buttarelli?
BUTTA. Yo.
DIEGO. ¿Es verdad que hoy tiene aquí
Tenorio una cita?
BUTTA. Sí
DIEGO. ¿Y ha acudido a ella?
BUTTA. No. 230
DIEGO. ¿Pero acudirá?
BUTTA. No sé.
DIEGO. ¿Le esperáis vos?
BUTTA. Por si acaso
venir le place.

---

222 Alonso Cortés, Valera y otras ediciones utilizan aquí *¿Ha de esta casa?,* pero nosotros preferimos *¡Ah de esta casa!,* como hace Cifuentes, por ser más apropiada en este contexto.

DIEGO. En tal caso,
yo también le esperaré. *(Se sienta en el lado opuesto a* DON GONZALO.)
BUTTA. ¿Que os sirva vianda alguna 235
queréis mientras?
DIEGO. No: tomad. *(Dale dinero.)*
BUTTA. ¡Excelencia!
DIEGO. Y excusad
conversación importuna.
BUTTA. Perdonad.
DIEGO. Vais perdonado:
dejadme, pues.
BUTTA. (¡Jesucristo! 240
En toda mi vida he visto
hombre más mal humorado).
DIEGO. (¡Que un hombre de mi linaje
descienda a tan ruin mansión!
Pero no hay humillación 245
a que un padre no se baje
por un hijo. Quiero ver
por mis ojos la verdad
y el monstruo de liviandad
a quien pude dar el ser). 250

(BUTTARELLI, *que anda arreglando sus trastos, contempla desde el fondo a* DON GONZALO *y a* DON DIEGO, *que permanecerán embozados y en silencio.)*

BUTTA. ¡Vaya un par de hombres de piedra!
Para éstos sobra mi abasto:
mas, ¡pardiez!, pagan el gasto
que no hacen, y así se medra.

---

252 *abasto:* provisión de víveres.

ESCENA IX

BUTTARELLI, DON GONZALO, DON DIEGO, EL CAPITÁN CENTELLAS, DOS CABALLEROS, AVELLANEDA

AVELLA. Vinieron, y os aseguro 255
que se efectuará la apuesta.
CENTE. Entremos, pues. ¡Buttarelli!
BUTTA. Señor capitán Centellas,
¿vos por aquí?
CENTE. Sí, Cristófano.
¿Cuándo aquí sin mi presencia 260
tuvieron lugar las orgias
que han hecho raya en la época?
BUTTA. Como ha tanto tiempo ya
que no os he visto...
CENTE. Las guerras
del emperador, a Túnez 265
me llevaron; mas mi hacienda
me vuelve a traer a Sevilla;
y, según lo que me cuentan,
llego lo más a propósito
para renovar añejas 270
amistades. Conque apróntanos
luego unas cuantas botellas,
y en tanto que humedecemos

---

261 *orgias:* según la métrica esta palabra debe ser llana y, por tanto, bisílaba. Esta pronunciación sigue la etimología de la palabra.

262 *han hecho raya:* han marcado un hito importante, han sido acontecimientos especiales.

265 Centellas se refiere a la campaña que Carlos V (1500-1558) emprendió contra el corsario turco Barbarroja, en mayo de 1535. Barbarroja se había apoderado de Túnez en 1534, y desde allí, los berberiscos asolaban las costas españolas e italianas. Con la ayuda de las tropas del papa Pablo III, del rey Juan III de Portugal y de la orden de San Juan, desde Malta, Carlos V venció a Barbarroja y liberó la ciudad. Fue una de las victorias más destacadas contra la amenaza de los piratas turcos.

	la garganta, verdadera	
	relación haznos de un lance	275
	sobre el cual hay controversia.	
BUTTA.	Todo se andará, mas antes	
	dejadme ir a la bodega.	
VARIOS.	Sí, sí.	

ESCENA X

DICHOS, *menos* BUTTARELLI

CENTE.	Sentarse, señores,	
	y que siga Avellaneda	280
	con la historia de don Luis.	
AVELLA.	No hay ya más que decir de ella,	
	sino que creo imposible	
	que la de Tenorio sea	
	más endiablada, y que apuesto	285
	por don Luis.	
CENTE.	Acaso pierdas.	
	Don Juan Tenorio se sabe	
	que es la más mala cabeza	
	del orbe, y no hubo hombre alguno	
	que aventajarle pudiera	290
	con sólo su inclinación;	
	conque, ¿qué hará si se empeña?	
AVELLA.	Pues yo sé bien que Mejía	
	las ha hecho tales, que a ciegas	
	se puede apostar por él.	295
CENTE.	Pues el capitán Centellas	
	pone por don Juan Tenorio	
	cuanto tiene.	
AVELLA.	Pues se acepta	
	por don Luis, que es muy mi amigo.	
CENTE.	Pues todo en contra se arriesga;	300
	porque no hay como Tenorio	

otro hombre sobre la tierra,
y es proverbial su fortuna
y extremadas sus empresas.

ESCENA XI

DICHOS, BUTTARELLI, *con botellas*

BUTTA. Aquí hay Falerno, Borgoña, 305
Sorrento.
CENTE. De lo que quieras
sirve, Cristófano, y dinos:
¿qué hay de cierto en una apuesta
por don Juan Tenorio ha un año
y don Luis Mejía hecha? 310
BUTTA. Señor capitán, no sé
tan a fondo la materia
que os pueda sacar de dudas,
pero diré lo que sepa.
VARIOS. Habla, habla.
BUTTA. Yo, la verdad, 315
aunque fue en mi casa mesma
la cuestión entre ambos, como
pusieron tan larga fecha
a su plazo, creí siempre
que nunca a efecto viniera; 320
así es, que ni aun me acordaba
de tal cosa a la hora de ésta.
Mas esta tarde, sería
el anochecer apenas,
entróse aquí un caballero 325
pidiéndome que le diera

---

306 Son nombres de vino famosos. El Falerno y el Sorrento son italianos; el Borgoña es francés.

recado con que escribir
una carta: y a sus letras
atento no más, me dio
tiempo a que charla metiera 330
con un paje que traía,
paisano mío, de Génova.
No saqué nada del paje,
que es, por Dios, muy brava pesca;
mas cuando su amo acababa 335
su carta, le envió con ella
a quien iba dirigida.
El caballero, en mi lengua
me habló, y me pidió noticias
de don Luis. Dijo que entera 340
sabía de ambos la historia,
y que tenía certeza
de que al menos uno de ellos
acudiría a la apuesta.
Yo quise saber más de él, 345
mas púsome dos monedas
de oro en la mano, diciéndome
así, como a la deshecha:
«Y por si acaso los dos
al tiempo aplazado llegan, 350
ten prevenidas para ambos
tus dos mejores botellas».
Largóse sin decir más,
y yo, atento a sus monedas,
les puse en el mismo sitio 355
donde apostaron, la mesa.
Y vedla allí con dos sillas,
dos copas y dos botellas.

---

327 *recado con que escribir:* útiles necesarios para la escritura: papel, pluma, tinta, etc.

334 *muy brava pesca:* persona astuta e ingeniosa.

348 *a la deshecha:* disimuladamente.

AVELLA. Pues, señor, no hay que dudar;
era don Luis.
CENTE. Don Juan era. 360
AVELLA. ¿Tú no le viste la cara?
BUTTA. ¡Si la traía cubierta
con un antifaz!
CENTE. Pero, hombre,
¿tú a los dos no les recuerdas?
¿o no sabes distinguir 365
a las gentes por sus señas
lo mismo que por sus caras?
BUTTA. Pues confieso mi torpeza;
no le supe conocer,
y lo procuré de veras. 370
Pero, ¡silencio!
AVELLA. ¿Qué pasa?
BUTTA. A dar el reló comienza
los cuartos para las ocho. *(Dan.)*
CENTE. Ved, ved la gente que se entra.
AVELLA. Como que está de este lance 375
curiosa Sevilla entera.

(Se oyen dar las ocho; varias personas entran y se reparten en silencio por la escena; al dar la última campanada, DON JUAN, *con antifaz, se llega a la mesa que ha preparado* BUTTARELLI *en el centro del escenario, y se dispone a ocupar una de las dos sillas que están delante de ella. Inmediatamente después de él, entra* DON LUIS, *también con antifaz, y se dirige a la otra. Todos los miran.)*

---

364 *¿tú a los dos no «les» recuerdas?:* Zorrilla es *leísta* y *laísta* a lo largo de todo el drama.

ESCENA XII

DON DIEGO, DON GONZALO, DON JUAN, DON LUIS, BUTTARELLI, CENTELLAS, AVELLANEDA, CABALLEROS, CURIOSOS, ENMASCARADOS

AVELLA. *(A* CENTELLAS, *por* DON JUAN.*)*
Verás aquél, si ellos vienen,
qué buen chasco que se lleva.
CENTE. *(A* AVELLANEDA, *por* DON LUIS.*)*
Pues allí va otro a ocupar
la otra silla: ¡uf!, aquí es ella. 380
JUAN. *(A* DON LUIS.*)*
Esa silla está comprada,
hidalgo.
LUIS. *(A* DON JUAN.*)*
Lo mismo digo,
hidalgo; para un amigo
tengo yo esotra pagada.
JUAN. Que ésta es mía haré notorio. 385
LUIS. Y yo también que ésta es mía.
JUAN. Luego, sois don Luis Mejía.
LUIS. Seréis, pues, don Juan Tenorio.
JUAN. Puede ser.
LUIS. Vos lo decís.
JUAN. ¿No os fiáis?
LUIS. No.
JUAN. Yo tampoco. 390
LUIS. Pues no hagamos más el coco.
JUAN. Yo soy don Juan.
(Quitándose la máscara.)
LUIS. Yo don Luis. *(Íd.)*

(Se descubren y se sientan. El capitán CENTELLAS, AVELLANEDA, BUTTARELLI *y algunos otros se van a ellos y les saludan, abrazan y dan la mano, y hacen otras semejantes muestras de ca-*

riño y amistad. DON JUAN *y* DON LUIS *las aceptan cortésmente.)*

CENTE. ¡Don Juan!
AVELLA. ¡Don Luis!
JUAN. ¡Caballeros!
LUIS. ¡Oh, amigos! ¿Qué dicha es ésta?
AVELLA. Sabíamos vuestra apuesta, 395
y hemos acudido a veros.
LUIS. Don Juan y yo tal bondad
en mucho os agradecemos.
JUAN. El tiempo no malgastemos,
don Luis. *(A los otros.)* Sillas arrimad. 400
(A los que están lejos.)
Caballeros, yo supongo
que a ucedes también aquí
les trae la apuesta, y por mí
a antojo tal no me opongo.
LUIS. Ni yo; que aunque nada más 405
fue el empeño entre los dos,
no ha de decirse, por Dios,
que me avergonzó jamás.
JUAN. Ni a mí, que el orbe es testigo
de que hipócrita no soy, 410
pues por doquiera que voy
va el escándalo conmigo.
LUIS. ¡Eh! ¿Y esos dos no se llegan
a escuchar? Vos.

(Por DON DIEGO *y* DON GONZALO.)

DIEGO. Yo estoy bien.
LUIS. ¿Y vos?

402 *ucedes:* forma arcaica de la que derivaría el «usted» actual. Proviene de la contracción de «vuestra merced». Es otro de los arcaísmos que utiliza Zorrilla para situar la obra en el siglo XVI.

GONZA. De aquí oigo también. 415
LUIS. Razón tendrán si se niegan.

(Se sientan todos alrededor de la mesa en que están DON LUIS MEJÍA *y* DON JUAN TENORIO.)

JUAN. ¿Estamos listos?
LUIS. Estamos.
JUAN. Como quien somos cumplimos.
LUIS. Veamos, pues, lo que hicimos.
JUAN. Bebamos antes.
LUIS. Bebamos. *(Lo hacen.)* 420
JUAN. La apuesta fue...
LUIS. Porque un día
dije que en España entera
no habría nadie que hiciera
lo que hiciera Luis Mejía.
JUAN. Y siendo contradictorio 425
al vuestro mi parecer,
yo os dije: Nadie ha de hacer
lo que hará don Juan Tenorio.
¿No es así?
LUIS. Sin duda alguna:
y vinimos a apostar 430
quién de ambos sabría obrar
peor, con mejor fortuna,
en el término de un año;
juntándonos aquí hoy
a probarlo.
JUAN. Y aquí estoy. 435
LUIS. Y yo.
CENTE. ¡Empeño bien extraño,
por vida mía!
JUAN. Hablad, pues.
LUIS. No, vos debéis empezar.
JUAN. Como gustéis, igual es,
que nunca me hago esperar. 440

Pues, señor, yo desde aquí,
buscando mayor espacio
para mis hazañas, di
sobre Italia, porque allí
tiene el placer un palacio. 445
De la guerra y del amor
antigua y clásica tierra,
y en ella el emperador,
con ella y con Francia en guerra,
díjeme: «¿Dónde mejor? 450
Donde hay soldados hay juego,
hay pendencias y amoríos».
Di, pues, sobre Italia luego,
buscando a sangre y a fuego
amores y desafíos. 455
En Roma, a mi apuesta fiel,
fijé, entre hostil y amatorio,
en mi puerta este cartel:
«Aquí está don Juan Tenorio
para quien quiera algo de él». 460
De aquellos días la historia
a relataros renuncio:
remítome a la memoria
que dejé allí, y de mi gloria
podéis juzgar por mi anuncio. 465
Las romanas caprichosas,
las costumbres licenciosas,
yo, gallardo y calavera,
¿quién a cuento redujera
mis empresas amorosas? 470
Salí de Roma, por fin,

---

449 Carlos V y Francisco I, rey de Francia, sostuvieron varias guerras entre 1521 y 1544. La primera acabó con la victoria de Carlos V en la batalla de Pavía y la prisión de Francisco I. Una vez liberado el rey francés, se alió con el papa Clemente VII y reanudó las hostilidades en 1525. En este momento, el ejército de Carlos V llevó a cabo el famoso saqueo de Roma. La obra sitúa la presencia de don Juan en Italia durante este conflicto.

como os podéis figurar:
con un disfraz harto ruin,
y a lomos de un mal rocín,
pues me querían ahorcar. 475
Fui al ejército de España;
mas todos paisanos míos,
soldados y en tierra extraña,
dejé pronto su compaña,
tras cinco o seis desafíos. 480
Nápoles, rico vergel
de amor, de placer emporio,
vio en mi segundo cartel:
«Aquí está don Juan Tenorio,
y no hay hombre para él. 485
Desde la princesa altiva
a la que pesca en ruin barca,
no hay hembra a quien no suscriba;
y a cualquier empresa abarca,
si en oro o valor estriba. 490
Búsquenle los reñidores;
cérquenle los jugadores;
quien se precie que le ataje,
a ver si hay quien le aventaje
en juego, en lid o en amores». 495
Esto escribí; y en medio año
que mi presencia gozó
Nápoles, no hay lance extraño,
no hay escándalo ni engaño
en que no me hallara yo. 500
Por donde quiera que fui,
la razón atropellé,
la virtud escarnecí,
a la justicia burlé,

---

487 Estos versos parecen aludir a las dos primeras conquistas de *El burlador de Sevilla,* de Tirso: la de la princesa Isabela, en la corte de Nápoles, y la de Tisbea, la pescadora de la costa de Tarragona.

y a las mujeres vendí. 505
Yo a las cabañas bajé,
yo a los palacios subí,
yo los claustros escalé,
y en todas partes dejé
memoria amarga de mí. 510
No reconocí sagrado,
ni hubo ocasión ni lugar
por mi audacia respetado;
ni en distinguir me he parado
al clérigo del seglar. 515
A quien quise provoqué,
con quien quiso me batí,
y nunca consideré
que pudo matarme a mí
aquel a quien yo maté. 520
A esto don Juan se arrojó,
y escrito en este papel
está cuanto consiguió:
y lo que él aquí escribió,
mantenido está por él. 525

LUIS. Leed, pues.

JUAN. No; oigamos antes
vuestros bizarros extremos,
y si traéis terminantes
vuestras notas comprobantes,
lo escrito cotejaremos. 530

LUIS. Decís bien; cosa es que está,
don Juan, muy puesta en razón;
aunque, a mi ver, poco irá
de una a otra relación.

JUAN. Empezad, pues.

LUIS. Allá va. 535
Buscando yo, como vos,
a mi aliento empresas grandes,
dije: «¿Dó iré, ¡vive Dios!,
de amor y lides en pos,

que vaya mejor que a Flandes? 540
Allí, puesto que empeñadas
guerras hay, a mis deseos
habrá al par centuplicadas
ocasiones extremadas
de riñas y galanteos». 545
Y en Flandes conmigo di,
mas con tan negra fortuna,
que al mes de encontrarme allí
todo mi caudal perdí,
dobla a dobla, una por una. 550
En tan total carestía
mirándome de dineros,
de mí todo el mundo huía;
mas yo busqué compañía
y me uní a unos bandoleros. 555
Lo hicimos bien, ¡voto a tal!,
y fuimos tan adelante,
con suerte tan colosal,
que entramos a saco en Gante
el palacio episcopal. 560
¡Qué noche! Por el decoro
de la Pascua, el buen Obispo
bajó a presidir el coro,
y aún de alegría me crispo
al recordar su tesoro. 565
Todo cayó en poder nuestro,
mas mi capitán, avaro,
puso mi parte en secuestro:
reñimos, fui yo más diestro,
y le crucé sin reparo. 570
Juróme al punto la gente

540 Las guerras con Flandes tuvieron lugar durante el reinado de Felipe II, aunque también Carlos V tuvo que sofocar una sublevación en Gante, donde entró, al mando de un importante ejército, en 1540.

capitán, por más valiente,
juréles yo amistad franca,
pero a la noche siguiente
huí, y les dejé sin blanca. 575
Yo me acordé del refrán
de que quien roba al ladrón
ha cien años de perdón,
y me arrojé a tal desmán
mirando a mi salvación. 580
Pasé a Alemania opulento,
mas un provincial jerónimo,
hombre de mucho talento,
me conoció, y al momento
me delató en un anónimo. 585
Compré a fuerza de dinero
la libertad y el papel;
y topando en un sendero
al fraile, le envié certero
una bala envuelta en él. 590
Salté a Francia. ¡Buen país!,
y como en Nápoles vos,
puse un cartel en París
diciendo: *«Aquí hay un don Luis*
que vale lo menos dos. 595
Parará aquí algunos meses,
y no trae más intereses
ni se aviene a más empresas,
que a adorar a las francesas
y a reñir con los franceses». 600

---

582 *provincial jerónimo:* fraile de la Orden de San Jerónimo que tenía a su cargo una «provincia» o circunscripción religiosa de la Orden.

595 Existe un juego de palabras entre el valor del hombre y el valor de la moneda. Un «luis» era una moneda de oro, que valía 20 francos, acuñada por el rey Luis XIII de Francia (1601-1643). Por los años de acuñación de la moneda, se produce una anacronismo interno en el marco histórico de la obra.

Esto escribí; y en medio año
que mi presencia gozó
París, no hubo lance extraño,
ni hubo escándalo ni daño
donde no me hallara yo. 605
Mas, como don Juan, mi historia
también a alargar renuncio;
que basta para mi gloria
la magnífica memoria
que allí dejé con mi anuncio. 610
Y cual vos, por donde fui
la razón atropellé,
la virtud escarnecí,
a la justicia burlé,
y a las mujeres vendí. 615
Mi hacienda llevo perdida
tres veces: mas se me antoja
reponerla, y me convida
mi boda comprometida
con doña Ana de Pantoja. 620
Mujer muy rica me dan,
y mañana hay que cumplir
los tratos que hechos están;
lo que os advierto, don Juan,
por si queréis asistir. 625
A esto don Luis se arrojó,
y escrito en este papel
está lo que consiguió,
y lo que él aquí escribió,
mantenido está por él. 630

JUAN. La historia es tan semejante
que está en el fiel la balanza;
mas vamos a lo importante,

---

632 El «fiel» de la balanza es la aguja que se pone vertical para indicar la igualdad de los pesos comparados.

que es el guarismo a que alcanza
el papel: conque adelante. 635

LUIS. Razón tenéis, en verdad.
Aquí está el mío: mirad,
por una línea apartados
traigo los nombres sentados,
para mayor claridad. 640

JUAN. Del mismo modo arregladas
mis cuentas traigo en el mío:
en dos líneas separadas,
los muertos en desafío,
y las mujeres burladas. 645
Contad.

LUIS. Contad.

JUAN. Veinte y tres.

LUIS. Son los muertos. A ver vos.
¡Por la cruz de San Andrés!
Aquí sumo treinta y dos.

JUAN. Son los muertos.

LUIS. Matar es. 650

JUAN. Nueve os llevo.

LUIS. Me vencéis.
Pasemos a las conquistas.

JUAN. Sumo aquí cincuenta y seis.

LUIS. Y yo sumo en vuestras listas
setenta y dos.

JUAN. Pues perdéis. 655

LUIS. ¡Es increíble, don Juan!

JUAN. Si lo dudáis, apuntados
los testigos ahí están,
que si fueren preguntados
os lo testificarán. 660

LUIS. ¡Oh! Y vuestra lista es cabal.

---

645 El detalle de la lista está incorporado en casi todas las obras de tema donjuanesco.

JUAN. Desde una princesa real
a la hija de un pescador,
¡oh!, ha recorrido mi amor
toda la escala social. 665
¿Tenéis algo que tachar?

LUIS. Sólo una os falta en justicia.

JUAN. ¿Me la podéis señalar?

LUIS. Sí, por cierto: una novicia
que esté para profesar. 670

JUAN. ¡Bah! Pues yo os complaceré
doblemente, porque os digo
que a la novicia uniré
la dama de algún amigo
que para casarse esté. 675

LUIS. ¡Pardiez, que sois atrevido!

JUAN. Yo os lo apuesto si queréis.

LUIS. Digo que acepto el partido.
¿Para darlo por perdido,
queréis veinte días?

JUAN. Seis. 680

LUIS. ¡Por Dios, que sois hombre extraño!
¿Cuántos días empleáis
en cada mujer que amáis?

JUAN. Partid los días del año
entre las que ahí encontráis. 685
Uno para enamorarlas,
otro para conseguirlas,
otro para abandonarlas,
dos para sustituirlas
y una hora para olvidarlas. 690
Pero, la verdad a hablaros,
pedir más no se me antoja,
porque, pues vais a casaros,
mañana pienso quitaros
a doña Ana de Pantoja. 695

LUIS. Don Juan, ¿qué es lo que decís?

JUAN. Don Luis, lo que oído habéis.
LUIS. Ved don Juan, lo que emprendéis.
JUAN. Lo que he de lograr, don Luis.
LUIS. ¿Gastón? *(Llamando.)*
GASTÓN. ¿Señor?
LUIS. Ven acá. 700

(Habla DON LUIS *en secreto con* GASTÓN *y éste se va precipitadamente.)*

JUAN. ¿Ciutti?
CIUTTI. ¿Señor?
JUAN. Ven aquí.

(DON JUAN *habla en secreto con* CIUTTI, *y éste se va precipitadamente.)*

LUIS. ¿Estáis en lo dicho?
JUAN. Sí.
LUIS. Pues va la vida.
JUAN. Pues va.

(DON GONZALO, *levantándose de la mesa en que ha permanecido inmóvil durante la escena anterior, se afronta con* DON JUAN *y* DON LUIS.)

GONZA. ¡Insensatos! ¡Vive Dios
que a no temblarme las manos, 705
a palos, como a villanos,
os diera muerte a los dos!
JUAN. / LUIS. } Veamos.

---

707 La condena a muerte también distinguía entre las clases sociales; un noble perdería, además de su vida, su honra, si fuese apaleado hasta morir. Recordemos que la mayor afrenta que le puede hacer el Cid al rey Alfonso es desearle una muerte infame, según queda resaltado en el famoso romance de la *Jura de Santa Gadea.*

GONZA. Excusado es,
que he vivido lo bastante
para no estar arrogante 710
donde no puedo.
JUAN. Idos, pues.
GONZA. Antes, don Juan, de salir
de donde oírme podáis,
es necesario que oigáis
lo que os tengo que decir. 715
Vuestro buen padre don Diego,
porque pleitos acomoda,
os apalabró una boda
que iba a celebrarse luego;
pero por mí mismo yo, 720
lo que erais queriendo ver,
vine aquí al anochecer,
y el veros me avergonzó.
JUAN. ¡Por Satanás, viejo insano,
que no sé cómo he tenido 725
calma para haberte oído
sin asentarte la mano!
Pero di pronto quién eres,
porque me siento capaz
de arrancarte el antifaz 730
con el alma que tuvieres.
GONZA. ¡Don Juan!
JUAN. ¡Pronto!
GONZA. Mira, pues.
JUAN. ¡Don Gonzalo!
GONZA. El mismo soy.
Y adiós, don Juan: mas desde hoy
no penséis en doña Inés. 735

---

719 *luego,* en el siglo XVI, significaba «pronto», «inmediatamente», y así se mantiene en ciertos países de Hispanoamérica. Véase *Nuestra lengua en ambos mundos,* de Ángel Rosemblat, Biblioteca Básica Salvat, Navarra, 1986.

Porque antes que consentir
en que se case con vos,
el sepulcro, ¡juro a Dios!
por mi mano la he de abrir.

JUAN. Me hacéis reír, don Gonzalo; 740
pues venirme a provocar,
es como ir a amenazar
a un león con un mal palo.
Y pues hay tiempo, advertir
os quiero a mi vez a vos, 745
que o me la dais, o por Dios,
que a quitárosla he de ir.

GONZA. ¡Miserable!

JUAN. Dicho está:
sólo una mujer como ésta
me falta para mi apuesta; 750
ved, pues, que apostada va.

(DON DIEGO, *levantándose de la mesa en que ha permanecido encubierto mientras la escena anterior, baja al centro de la escena, encarándose con* DON JUAN.)

DIEGO. No puedo más escucharte,
vil don Juan, porque recelo
que hay algún rayo en el cielo
preparado a aniquilarte. 755
¡Ah...! No pudiendo creer
lo que de ti me decían,
confiando en que mentían,
te vine esta noche a ver.
Pero te juro, malvado, 760
que me pesa haber venido
para salir convencido
de lo que es para ignorado.
Sigue, pues, con ciego afán

en tu torpe frenesí, 765
mas nunca vuelvas a mí;
no te conozco, don Juan.

JUAN. ¿Quién nunca a ti se volvió,
ni quién osa hablarme así,
ni qué se me importa a mí 770
que me conozcas o no?

DIEGO. Adiós, pues: mas no te olvides
de que hay un Dios justiciero.

JUAN. Ten. *(Deteniéndole.)*

DIEGO. ¿Qué quieres?

JUAN. Verte quiero.

DIEGO. Nunca, en vano me lo pides. 775

JUAN. ¿Nunca?

DIEGO. No.

JUAN. Cuando me cuadre.

DIEGO. ¿Cómo?

JUAN. Así. *(Le arranca el antifaz.)*

TODOS. ¡Don Juan!

DIEGO. ¡Villano!
¡Me has puesto en la faz la mano!

JUAN. ¡Válgame Cristo, mi padre!

DIEGO. Mientes, no lo fui jamás. 780

JUAN. ¡Reportaos, por Belcebú!

DIEGO. No, los hijos como tú
son hijos de Satanás.
Comendador, nulo sea
lo hablado.

GONZA. Ya lo es por mí; 785
Vamos.

---

781 En el manuscrito dice *¡Teneos con Belcebú!,* y en las demás ediciones se corrige por *¡Reportaos, con Belcebú!* Es evidente que la sustitución de *Teneos* por *Reportaos* implica la modificación de la preposición *con* y en su lugar debe ir *por,* según determina el contexto de la frase.

DIEGO. Sí, vamos de aquí
donde tal monstruo no vea.
Don Juan, en brazos del vicio
desolado te abandono:
me matas..., mas te perdono 790
de Dios en el santo juicio.

(Vanse poco a poco DON DIEGO *y* DON GONZALO.)

JUAN. Largo el plazo me ponéis:
mas ved que os quiero advertir
que yo no os he ido a pedir
jamás que me perdonéis. 795
Conque no paséis afán
de aquí en adelante por mí,
que como vivió hasta aquí,
vivirá siempre don Juan.

ESCENA XIII

DON JUAN, DON LUIS, CENTELLAS, AVELLANEDA, BUTTARELLI, CURIOSOS, MÁSCARAS

JUAN. ¡Eh! Ya salimos del paso: 800
y no hay que extrañar la homilia,
son pláticas de familia,

---

792 Ésta es la famosa frase que coincide con la de *El burlador de Sevilla,* de Tirso, «¡qué largo me lo fiáis!», y con la de *No hay plazo que no se cumpla ni deuda que no se pague,* de Zamora, «¡Si tan largo me lo fiáis!». Procede de la primera obra que escribe Tirso sobre el tema del don Juan y que lleva por título *Tan largo me lo fiáis.* «Tirso condena su símbolo extraído de un mito, condena el enunciado de una juventud apostada en el *tan largo me lo fiáis,* recurriendo a la voz anónima de un cantar [de otra leyenda]. Es la respuesta barroca a un tiempo despreocupado» (Antonio Prieto, Introducción a la edición de *El burlador de Sevilla,* Planeta, Barcelona, 1990, pág. XXXIII).

801 *homilia,* sin acento, para mantener la rima.

de las que nunca hice caso.
Conque lo dicho, don Luis,
van doña Ana y doña Inés 805
en apuesta.

LUIS. Y el precio es
la vida.

JUAN. Vos lo decís:
vamos.

LUIS. Vamos.

(Al salir se presenta una ronda, que les detiene.)

ESCENA XIV

DICHOS, UNA RONDA DE ALGUACILES

ALGUACIL. Alto allá.
¿Don Juan Tenorio?

JUAN. Yo soy.

ALGUACIL. Sed preso.

JUAN. ¿Soñando estoy? 810
¿Por qué?

ALGUACIL. Después lo verá.

LUIS. *(Acercándose a* DON JUAN *y riéndose.)*
Tenorio, no lo extrañéis,
pues mirando a lo apostado,
mi paje os ha delatado,
para que vos no ganéis. 815

JUAN. ¡Hola! ¡Pues no os suponía
con tal despejo, pardiez!

LUIS. Id, pues, que por esta vez,
don Juan, la partida es mía.

JUAN. Vamos, pues.

(Al salir, les detiene OTRA RONDA *que entra en la escena.)*

ESCENA XV

DICHOS, UNA RONDA

ALGUACIL. *(Que entra.)*
Ténganse allá 820
¿Don Luis Mejía?
LUIS. Yo soy.
ALGUACIL. Sed preso.
LUIS. ¿Soñando estoy?
¡Yo preso!
JUAN. *(Soltando la carcajada.)*
¡Ja, ja, ja, ja!
Mejía, no lo extrañéis,
pues mirando a lo apostado, 825
mi paje os ha delatado
para que no me estorbéis.
LUIS. Satisfecho quedaré.
aunque ambos muramos.
JUAN. Vamos.
Conque señores, quedamos 830
en que la apuesta está en pie.

(Las rondas se llevan a DON JUAN *y a* DON LUIS*; muchos los siguen. El* CAPITÁN CENTELLAS, AVELLANEDA *y sus amigos, quedan en la escena mirándose unos a otros.)*

ESCENA XVI

EL CAPITÁN CENTELLAS, AVELLANEDA, CURIOSOS

AVELLA. ¡Parece un juego ilusorio!
CENTE. ¡Sin verlo no lo creería!
AVELLA. Pues yo apuesto por Mejía.
CENTE. Y yo pongo por Tenorio. 835

ACTO SEGUNDO

Destreza

PERSONAS

DON JUAN, DON LUIS, DOÑA ANA, CIUTTI, PASCUAL, LUCÍA, BRÍGIDA

Exterior de la casa de DOÑA ANA *vista por una esquina. Las dos paredes que forman el ángulo se prolongan igualmente por ambos lados, dejando ver en la de la derecha una reja, y en la izquierda, una reja y una puerta.*

ESCENA PRIMERA

DON LUIS MEJÍA, *embozado*

LUIS. Ya estoy frente de la casa
de doña Ana, y es preciso
que esta noche tenga aviso
de lo que en Sevilla pasa.
No di con persona alguna, 840
por dicha mía... ¡Oh, qué afán!
Pero ahora, señor don Juan,
cada cual con su fortuna.
Si honor y vida se juega,
mi destreza y mi valor 845
por mi vida y por mi honor
jugarán..., mas alguien llega.

ESCENA II

DON LUIS, PASCUAL

PASCUAL. ¡Quién creyera lance tal!
¡Jesús, qué escándalo! ¡Presos!
LUIS. ¡Qué veo! ¿Es Pascual?
PASCUAL. Los sesos 850
me estrellaría.
LUIS. ¿Pascual?
PASCUAL. ¿Quién me llama tan apriesa?
LUIS. Yo. Don Luis.
PASCUAL. ¡Válame Dios!
LUIS. ¿Qué te asombra?
PASCUAL. Que seáis vos. 855
LUIS. Mi suerte, Pascual, es ésa.
Que a no ser yo quien me soy,
y a no dar contigo ahora,
el honor de mi señora
doña Ana moría hoy.
PASCUAL. ¿Qué es lo que decís?
LUIS. ¿Conoces 860
a don Juan Tenorio?
PASCUAL. Sí.
¿Quién no le conoce aquí?
Mas, según públicas voces,
estabais presos los dos.
Vamos, ¡lo que el vulgo miente! 865
LUIS. Ahora acertadamente
habló el vulgo: y ¡juro a Dios
que, a no ser porque mi primo,
el tesorero real,
quiso fiarme, Pascual, 870
pierdo cuanto más estimo!
PASCUAL. ¿Pues cómo?

LUIS. ¿En servirme estás?
PASCUAL. Hasta morir.
LUIS. Pues escucha.
Don Juan y yo en una lucha
arriesgada por demás 875
empeñados nos hallamos;
pero a querer tú ayudarme,
más que la vida salvarme
puedes.
PASCUAL. ¿Qué hay que hacer? Sepamos.
LUIS. En una insigne locura 880
dimos tiempo ha: en apostar
cuál de ambos sabría obrar
peor, con mejor ventura.
Ambos nos hemos portado
bizarramente a cual más; 885
pero él es un Satanás,
y por fin me ha aventajado.
Púsele no sé qué pero,
dijímonos no sé qué
sobre ello, y el hecho fue 890
que él, mofándome altanero,
me dijo: «Y si esto no os llena,
pues que os casáis con doña Ana,
os apuesto a que mañana
os la quito yo».
PASCUAL. ¡Ésa es buena! 895
¿Tal se ha atrevido a decir?
LUIS. No es lo malo que lo diga,
Pascual, sino que consiga
lo que intenta.
PASCUAL. ¿Conseguir?
En tanto que yo esté aquí, 900
descuidad, don Luis.
LUIS. Te juro

que si el lance no aseguro,
no sé qué va a ser de mí.

PASCUAL. ¡Por la Virgen del Pilar!
¿Le teméis?

LUIS. No, Dios testigo. 905
Mas lleva ese hombre consigo
algún diablo familiar.

PASCUAL. Dadlo por asegurado.

LUIS. ¡Oh! Tal es el afán mío,
que ni en mí propio me fío 910
con un hombre tan osado.

PASCUAL. Yo os juro, por San Ginés,
que con toda tu osadía,
le ha de hacer, por vida mía,
mal tercio un aragonés: 915
nos veremos.

LUIS. ¡Ay, Pascual,
que en qué te metes no sabes!

PASCUAL. En apreturas más graves
me he visto, y no salí mal.

LUIS. Estriba en lo perentorio 920
del plazo, y en ser quién es.

PASCUAL. Más que un buen aragonés
no ha de valer un Tenorio.
Todos esos lenguaraces,
espadachines de oficio, 925
no son más que frontispicio
y de poca alma capaces.
Para infamar a mujeres
tienen lengua, y tienen manos

---

915 *hacer mal tercio:* «Frase, con que se explica que a alguno [...] se le estorba [...], hace daño en pretensión o cosa semejante» *(Diccionario de Autoridades).*

926 *frontispicio:* apariencia.

para osar a los ancianos 930
o apalear a mercaderes.
Mas cuando una buena espada,
por un buen brazo esgrimida,
con la muerte les convida,
todo su valor es nada. 935
Y sus empresas y bullas
se reducen todas ellas,
a hablar mal de las doncellas
y a huir ante las patrullas.

LUIS. ¡Pascual!

PASCUAL. No lo hablo por vos, 940
que aunque sois un calavera,
tenéis la alma bien entera
y reñís bien, ¡voto a brios!

LUIS. Pues si es en mí tan notorio
el valor, mira, Pascual, 945
que el valor es proverbial
en la raza de Tenorio.
Y porque conozco bien
de su valor el extremo,
de sus ardides me temo 950
que en tierra con mi honra den.

PASCUAL. Pues suelto estáis ya, don Luis,
y pues que tanto os acucia
el mal de celos, su astucia
con la astucia prevenís.
¿Qué teméis de él? 955

LUIS. No lo sé;
mas esta noche sospecho
que ha de procurar el hecho
consumar.

---

943 Este juramento es un eufemismo utilizado para evitar el más blasfemo «¡voto a Dios!». Para mantener la rima, *bríos* debe ir sin acento para hacer una sola sílaba.

PASCUAL. Soñáis.
LUIS. ¿Por qué?
PASCUAL. ¿No está preso?
LUIS. Sí que está; 960
mas también lo estaba yo,
y un hidalgo me fió.
PASCUAL. Mas, ¿quién a él le fiará?
LUIS. En fin, sólo un medio encuentro
de satisfacerme.
PASCUAL. ¿Cuál? 965
LUIS. Que de esta casa, Pascual,
quede yo esta noche dentro.
PASCUAL. Mirad que así de doña Ana
tenéis el honor vendido.
LUIS. ¡Qué mil rayos! ¿Su marido 970
no voy a ser yo mañana?
PASCUAL. Mas, señor, ¿no os digo yo
que os fío con la existencia...?
LUIS. Sí; salir de una pendencia,
mas de un ardid diestro, no. 975
Y, en fin, o paso en la casa
la noche, o tomo la calle,
aunque la justicia me halle.
PASCUAL. Señor don Luis, eso pasa
de terquedad, y es capricho 980
que dejar os aconsejo,
y os irá bien.
LUIS. No lo dejo,
Pascual.
PASCUAL. ¡Don Luis!
LUIS. Está dicho.
PASCUAL. ¡Vive Dios! ¿Hay tal afán?
LUIS. Tú dirás lo que quisieres, 985
mas yo fío en las mujeres
mucho menos que en don Juan;
y pues lance es extremado

por dos locos emprendido,
bien será un loco atrevido 990
para un loco desalmado.

PASCUAL. Mirad bien lo que decís,
porque yo sirvo a doña Ana
desde que nació, y mañana
seréis su esposo, don Luis. 995

LUIS. Pascual, esa hora llegada
y ese derecho adquirido,
yo sabré ser su marido
y la haré ser bien casada.
Mas en tanto...

PASCUAL. No habléis más. 1000
Yo os conozco desde niños,
y sé lo que son cariños,
¡por vida de Barrabás!
Oíd: mi cuarto es sobrado
para los dos; dentro de él 1005
quedad; mas palabra fiel
dadme de estaros callado.

LUIS. Te la doy.

PASCUAL. Y hasta mañana
juntos con doble cautela,
nos quedaremos en vela. 1010

LUIS. Y se salvará doña Ana.

PASCUAL. Sea.

LUIS. Pues vamos.

PASCUAL. Teneos.
¿Qué vais a hacer?

LUIS. A entrar.

PASCUAL. ¿Ya?

LUIS. ¿Quién sabe lo que él hará?

PASCUAL. Vuestros celosos deseos 1015
reprimid: que ser no puede
mientras que no se recoja
mi amo, don Gil de Pantoja,
y todo en silencio quede.

LUIS. ¡Voto a...!
PASCUAL. ¡Eh! Dad una vez 1020
breves treguas al amor.
LUIS. ¿Y a qué hora ese buen señor
suele acostarse?
PASCUAL. A las diez;
y en esa calleja estrecha
hay una reja; llamad 1025
a las diez, y descuidad
mientras en mí.
LUIS. Es cosa hecha.
PASCUAL. Don Luis, hasta luego, pues.
LUIS. Adiós, Pascual, hasta luego.

ESCENA III

DON LUIS

LUIS. Jamás tal desasosiego 1030
tuve. Paréceme que es
esta noche hora menguada
para mí... y no sé qué vago
presentimiento, qué estrago
teme mi alma acongojada 1035
¡Por Dios que nunca pensé
que a doña Ana amara así,
ni por ninguna sentí
lo que por ella...! ¡Oh! Y a fe
que de don Juan me amedrenta, 1040
no el valor, mas la ventura.
Parece que le asegura

1032 *hora menguada:* «Vale lo mismo que tiempo fatal o desgraciado en que sucede algún daño, o no se logra lo que se desea» *(Diccionario de Autoridades).*

1041 *mas la ventura:* sino la ventura.

Satanás en cuanto intenta.
No, no: es un hombre infernal,
y téngome para mí 1045
que si me aparto de aquí,
me burla, pese a Pascual.
Y aunque me tenga por necio,
quiero entrar: que con don Juan
las preocupaciones no están 1050
para vistas con desprecio. *(Llama a la ventana.)*

ESCENA IV

DON LUIS, DOÑA ANA

ANA. ¿Quién va?
LUIS. ¿No es Pascual?
ANA. ¡Don Luis!
LUIS. Doña Ana.
ANA. ¿Por la ventana
llamas ahora?
LUIS. ¡Ay, doña Ana,
cuán a buen tiempo salís! 1055
ANA. ¿Pues qué hay, Mejía?
LUIS. Un empeño
por tu beldad, con un hombre
que temo.
ANA. ¿Y qué hay que te asombre
en él, cuando eres tú el dueño
de mi corazón?
LUIS. Doña Ana, 1060
no lo puedes comprender,
de ese hombre sin conocer
nombre y suerte.
ANA. Será vana
su buena suerte conmigo.
Ya ves, sólo horas nos faltan 1065

para la boda, y te asaltan
vanos temores.

LUIS. Testigo
me es Dios que nada por mí
me da pavor mientras tenga
espada, y ese hombre venga 1070
cara a cara contra ti.
Mas, como el león audaz,
y cauteloso y prudente,
como la astuta serpiente...

ANA. ¡Bah! Duerme, don Luis, en paz, 1075
que su audacia y su prudencia
nada lograrán de mí,
que tengo cifrada en ti
la gloria de mi existencia.

LUIS. Pues bien, Ana, de ese amor 1080
que me aseguras en nombre,
para no temer a ese hombre
voy a pedirte un favor.

ANA. Di; mas bajo, por si escucha
tal vez alguno.

LUIS. Oye, pues. 1085

ESCENA V

DOÑA ANA *y* DON LUIS, *a la reja derecha;* DON JUAN *y* CIUTTI, *en la calle izquierda*

CIUTTI. Señor, por mi vida, que es
vuestra suerte buena y mucha.

JUAN. Ciutti, nadie como yo:
ya viste cuán fácilmente
el buen alcaide prudente 1090
se avino y suelta me dio.
Mas no hay ya en ello que hablar:
¿mis encargos has cumplido?

CIUTTI. Todos los he concluido
mejor que pude esperar. 1095
JUAN. ¿La beata...?
CIUTTI. Ésta es la llave
de la puerta del jardín,
que habrá que escalar al fin,
pues como usarced ya sabe,
las tapias de ese convento 1100
no tienen entrada alguna.
JUAN. ¿Y te dio carta?
CIUTTI. Ninguna;
me dijo que aquí al momento
iba a salir de camino;
que al convento se volvía, 1105
y que con vos hablaría.
JUAN. Mejor es.
CIUTTI. Lo mismo opino.
JUAN. ¿Y los caballos?
CIUTTI. Con silla
y freno los tengo ya.
JUAN. ¿Y la gente?
CIUTTI. Cerca está. 1110
JUAN. Bien, Ciutti; mientras Sevilla
tranquila en sueño reposa
creyéndome encarcelado,
otros dos nombres añado
a mi lista numerosa. 1115
¡Ja!, ¡Ja!
CIUTTI. Señor...
JUAN. ¿Qué?
CIUTTI. Callad
JUAN. ¿Qué hay, Ciutti?
CIUTTI. Al doblar la esquina,

1099 *usarced:* otra contracción de «vuestra merced».

en esa reja vecina
he visto a un hombre.

JUAN. Es verdad:
pues ahora sí que es mejor 1120
el lance: ¿y si es ése?

CIUTTI. ¿Quién?

JUAN. Don Luis.

CIUTTI. Imposible.

JUAN. ¡Toma!
¿No estoy yo aquí?

CIUTTI. Diferencia
va de él a vos.

JUAN. Evidencia
lo creo, Ciutti; allí asoma 1125
tras de la reja una dama.

CIUTTI. Una criada tal vez.

JUAN. Preciso es verlo, ¡pardiez!,
no perdamos lance y fama.
Mira, Ciutti: a fuer de ronda 1130
tú con varios de los míos
por esa calle escurríos,
dando vuelta a la redonda
a la casa.

CIUTTI. Y en tal caso
cerrará ella.

JUAN. Pues con eso, 1135
ella ignorante y él preso,
nos dejarán franco el paso.

CIUTTI. Decís bien.

JUAN. Corre y atájale,
que en ello el vencer consiste.

CIUTTI. ¿Mas si el truhán se resiste? 1140

JUAN. Entonces, de un tajo, rájale.

1130 *a fuer de ronda:* como si fuerais de ronda.

ESCENA VI

DON JUAN, DOÑA ANA, DON LUIS

LUIS. ¿Me das, pues, tu asentimiento?
ANA. Consiento.
LUIS. ¿Complácesme de ese modo?
ANA. En todo. 1145
LUIS. Pues te velaré hasta el día.
ANA. Sí, Mejía.
LUIS. Páguete el cielo, Ana mía,
satisfacción tan entera.
ANA. Porque me juzgues sincera, 1150
consiento en todo, Mejía.
LUIS. Volveré, pues, otra vez.
ANA. Sí, a las diez.
LUIS. ¿Me aguardarás, Ana?
ANA. Sí.
LUIS. Aquí. 1155
ANA. ¿Y tú estarás puntual, eh?
LUIS. Estaré.
ANA. La llave, pues, te daré.
LUIS. Y dentro yo de tu casa,
venga Tenorio.
ANA. Alguien pasa; 1160
a las diez.
LUIS. *Aquí estaré.*

1151 Aquí comienzan los *ovillejos,* «composición métrica que consta de tres versos octosílabos, seguidos cada uno de ellos de un pie quebrado que con él forma consonancia, y de una redondilla cuyo último verso se compone de los tres pies quebrados» *(DRAE).* El verso en cursiva es el último de la redondilla.

ESCENA VII

DON JUAN, DON LUIS

LUIS. Mas se acercan. ¿Quién va allá?
JUAN. Quien va.
LUIS. De quien va así, ¿qué se infiere? 1165
JUAN. Que quiere.
LUIS. ¿Ver si la lengua le arranco?
JUAN. El paso franco.
LUIS. Guardado está.
JUAN. ¿Y soy yo manco?
LUIS. Pidiéraislo en cortesía.
JUAN. ¿Y a quién?
LUIS. A don Luis Mejía. 1170
JUAN. *Quien va, quiere el paso franco.*
LUIS. ¿Conocéisme?
JUAN. Sí.
LUIS. ¿Y yo a vos?
JUAN. Los dos.
LUIS. ¿Y en qué estriba el estorballe?
JUAN. En la calle. 1175
LUIS. ¿De ella los dos por ser amos?
JUAN. Estamos.
LUIS. Dos hay no más que podamos
necesitarla a la vez.
JUAN. Lo sé.
LUIS. ¡Sois don Juan!
JUAN. ¡Pardiez!, 1180
los dos ya en la calle estamos.
LUIS. ¿No os prendieron?
JUAN. Como a vos.
LUIS. ¡Vive Dios!
¿Y huisteis?
JUAN. Os imité.

¿Y qué? 1185

LUIS. Que perderéis.

JUAN. No sabemos.

LUIS. Lo veremos.

JUAN. La dama entrambos tenemos
sitiada, y estáis cogido.

LUIS. Tiempo hay.

JUAN. Para vos perdido. 1190

LUIS. *¡Vive Dios que lo veremos!*

(DON LUIS *desenvaina su espada; mas* CIUTTI, *que ha bajado con los suyos cautelosamente hasta colocarse tras él, le sujeta.)*

JUAN. Señor don Luis, vedlo, pues.

LUIS. Traición es.

JUAN. La boca... *(A los suyos, que se la tapan a* DON LUIS.)

LUIS. ¡Oh!

JUAN. *(Le sujetan los brazos.)*
Sujeto atrás: 1195
más.
La empresa es, señor Mejía,
como mía.
Encerrádmele hasta el día. *(A los suyos.)*
La apuesta está ya en mi mano.
(A DON LUIS.) Adiós, don Luis: si os la gano, 1200
traición es; mas como mía.

ESCENA VIII

DON JUAN

Buen lance, ¡viven los cielos!
Éstos son los que dan fama:

mientras le soplo la dama
él se arrancará los pelos 1205
encerrado en mi bodega.
¿Y ella? Cuando crea hallarse
con él..., ¡ja!, ¡ja! ¡Oh!, y quejarse
no puede; limpio se juega.
A la cárcel le llevé 1210
y salió: llevóme a mí,
y salí: hallarnos aquí
era fuerza..., ya se ve:
su parte en la grave apuesta
defendía cada cual. 1215
Mas con la suerte está mal
Mejía, y también pierde ésta.
Sin embargo, y por si acaso,
no es demás asegurarse
de Lucía, a desgraciarse 1220
no vaya por poco el paso.
Mas por allí un bulto negro
se aproxima... y a mi ver
es el bulto una mujer.
¿Otra aventura? Me alegro. 1225

ESCENA IX

DON JUAN, BRÍGIDA

BRÍGIDA. ¿Caballero?
JUAN. ¿Quién va allá?
BRÍGIDA. ¿Sois don Juan?
JUAN. ¡Por vida de...!

1204 *soplo la dama:* esta expresión se emplea en el conocido juego de las «damas» para ganar al adversario una ficha. Indica el matiz de juego y diversión con que se toma don Juan la apuesta.

¡Si es la beata! ¡Y a fe
que la había olvidado ya!
Llegaos, don Juan soy yo. 1230

BRÍGIDA. ¿Estáis solo?

JUAN. Con el diablo.

BRÍGIDA. ¡Jesucristo!

JUAN. Por vos lo hablo.

BRÍGIDA. ¿Soy yo el diablo?

JUAN. Creoló.

BRÍGIDA. ¡Vaya! ¡Qué cosas tenéis!
Vos sí que sois un diablillo... 1235

JUAN. Que te llenará el bolsillo
si le sirves.

BRÍGIDA. Lo veréis.

JUAN. Descarga, pues, ese pecho.
¿Qué hiciste?

BRÍGIDA. ¡Cuanto me ha dicho
vuestro paje...! ¡Y qué mal bicho 1240
es ese Ciutti!

JUAN. ¿Qué ha hecho?

BRÍGIDA. ¡Gran Bribón!

JUAN. ¿No os ha entregado
un bolsillo y un papel?

BRÍGIDA. Leyendo estará ahora en él
doña Inés.

JUAN. ¿La has preparado? 1245

BRÍGIDA. Vaya; y os la he convencido
con tal maña y de manera,
que irá como una cordera
tras vos.

1233 *creoló:* la métrica y la rima con «soy yo» exigen una palabra aguda. Por eso, Zorrilla utiliza la licencia métrica llamada *diástole,* que consiste en «el paso del acento en una palabra a una sílaba posterior a la que normalmente le corresponde» (A. Marchese, y J., Forradellas, *Diccionario de retórica, crítica y terminología literaria,* Ariel, Barcelona, 1991).

JUAN. ¡Tan fácil te ha sido!
BRÍGIDA. ¡Bah! Pobre garza enjaulada, 1250
dentro la jaula nacida,
¿qué sabe ella si hay más vida
ni más aire en que volar?
Si no vio nunca sus plumas
del sol a los resplandores, 1255
¿qué sabe de los colores
de que se puede ufanar?
No cuenta la pobrecilla
diez y siete primaveras,
y aún virgen a las primeras 1260
impresiones del amor,
nunca concibió la dicha
fuera de su pobre estancia,
tratada desde su infancia

1250-1281 Estos versos de la intervención de Brígida están tomados de la leyenda de *Margarita la tornera* (III *Tentación),* del propio Zorrilla, aunque cambiando el orden en que allí aparecen. Los versos de la leyenda dicen:

Estrofa 17

Pobre tórtola enjaulada
dentro de jaula nacida,
¿qué sabe ella si hay más vida
ni más aire que el volar?
Si no vio nunca sus plumas
del sol a los resplandores,
¿qué sabe de los colores
con que se puede ufanar?

Estrofa 1

Aún no cuenta Margarita
diez y siete primaveras,
y aun virgen a las primeras
impresiones del amor,
nunca la dicha supuso
fuera de su pobre estancia,
tratada desde la infancia
con cauteloso vigor.

Estrofas 15 y 16

¡Oh!, qué seis años monótonos
de soledad y convento
habían su pensamiento
reducido a un punto ruin,
a espacio tan miserable,
a círculo tan mezquino,
que era el claustro su destino
y el altar era su fin.

«Aquí está Dios», la dijeron,
y ella dijo: «Yo le adoro».
«Aquí está el torno y el coro».
Y pensó: «¡No hay más allá!».
Y sin otras ilusiones
que sus sueños infantiles,
pasaron sus seis abriles
sin conocerlo quizá.

(Obras Completas, I, págs. 564-566).

con cauteloso rigor. 1265
Y tantos años monótonos
de soledad y convento
tenían su pensamiento
ceñido a punto tan ruin,
a tan reducido espacio, 1270
y a círculo tan mezquino,
que era el claustro su destino
y el altar era su fin.
«Aquí está Dios», la dijeron;
y ella dijo: «Aquí le adoro». 1275
«Aquí está el claustro y el coro».
Y pensó: «No hay más allá».
Y sin otras ilusiones
que sus sueños infantiles,
pasó diez y siete abriles 1280
sin conocerlo quizá.

JUAN. ¿Y está hermosa?

BRÍGIDA. ¡Oh! Como un ángel.

JUAN. ¿Y la has dicho...?

BRÍGIDA. Figuraos
si habré metido mal caos 1285
en su cabeza, don Juan.
La hablé del amor, del mundo,
de la corte y los placeres,
de cuánto con las mujeres
erais pródigo y galán.
La dije que erais el hombre 1290
por su padre destinado
para suyo: os he pintado
muerto por ella de amor,
desesperado por ella 1295
y por ella perseguido,
y por ella decidido
a perder vida y honor.
En fin, mis dulces palabras,
al posarse en sus oídos,

sus deseos mal dormidos 1300
arrastraron de sí en pos;
y allá dentro de su pecho
han inflamado una llama
de tal fuerza, que ya os ama
y no piensa más que en vos. 1305

JUAN. Tan incentiva pintura
los sentidos me enajena,
y el alma ardiente me llena
de su insensata pasión.
Empezó por una apuesta, 1310
siguió por un devaneo,
engendró luego un deseo,
y hoy me quema el corazón.
Poco es el centro de un claustro;
¡al mismo infierno bajara, 1315
y a estocadas la arrancara
de los brazos de Satán!
¡Oh! Hermosa flor, cuyo cáliz
al rocío aún no se ha abierto, 1320
a trasplantarte va al huerto
de sus amores don Juan.
¿Brígida?

BRÍGIDA. Os estoy oyendo,
y me hacéis perder el tino:
yo os creía un libertino
sin alma y sin corazón. 1325

JUAN. ¿Eso extrañas? ¿No está claro
que en un objeto tan noble
hay que interesarse doble
que en otros?

BRÍGIDA. Tenéis razón.

JUAN. ¿Conque a qué hora se recogen 1330
las madres?

BRÍGIDA. Ya recogidas
estarán. ¿Vos prevenidas
todas las cosas tenéis?

JUAN. Todas.
BRÍGIDA. Pues luego que doblen
a las ánimas, con tiento 1335
saltando al huerto, al convento
fácilmente entrar podéis
con la llave que os he enviado:
de un claustro oscuro y estrecho
es; seguidle bien derecho, 1340
y daréis con poco afán
en nuestra celda.
JUAN. Y si acierto
a robar tan gran tesoro,
te he de hacer pesar en oro.
BRÍGIDA. Por mí no queda, don Juan. 1345
JUAN. Ve y aguárdame.
BRÍGIDA. Voy, pues,
a entrar por la portería,
y a cegar a sor María
la tornera. Hasta después.

(Vase BRÍGIDA, *y un poco antes de concluir esta escena sale* CIUTTI, *que se para en el fondo esperando.)*

ESCENA X

DON JUAN, CIUTTI

JUAN. Pues, señor, ¡soberbio envite! 1350
Muchas hice hasta esta hora,
mas, ¡por Dios que la de ahora,

1335 *doblen a las ánimas:* el toque de las campanas llamando a oración por las ánimas del purgatorio. «Yo tengo en mis dramas una debilidad por el toque de ánimas; olvido siempre que en aquellas épocas se contaba el tiempo por las horas canónicas; y cuando necesito marcar la hora en la escena, oigo siempre campanas, pero no sé dónde, y pregunto qué hora es a las ánimas del purgatorio» *(Recuerdos..., Obras Completas,* II, pág. 1802).

será tal, que me acredite!
Mas ya veo que me espera
Ciutti. ¿Lebrel? *(Llamándole.)*

CIUTTI. Aquí estoy. 1355

JUAN. ¿Y don Luis?

CIUTTI. Libre por hoy
estáis de él.

JUAN. Ahora quisiera
ver a Lucía.

CIUTTI. Llegar
podéis aquí. *(A la reja derecha.)* Yo la llamo,
y al salir a mi reclamo 1360
la podéis vos abordar.

JUAN. Llama, pues.

CIUTTI. La seña mía
sabe bien para que dude
en acudir.

JUAN. Pues si acude
lo demás es cuenta mía. 1365

(CIUTTI *llama a la reja con una seña que parezca convenida.* LUCÍA *se asoma a ella, y al ver a* DON JUAN *se detiene un momento.)*

ESCENA XI

DON JUAN, LUCÍA, CIUTTI

LUCÍA. ¿Qué queréis, buen caballero?

JUAN. Quiero.

1350-1353 Estos cuatro versos también están sacados de la leyenda de *Margarita la tornera:*

> Pues, señor, bien: muchas hice,
> mas, ¡vive Dios, que esta última
> será tal que me acredite!

1366 En los *Recuerdos* escribe Zorrilla: «Empecé mi *Don Juan* en una noche de insomnio por la escena de los ovillejos del segundo acto entre don

LUCÍA. ¿Qué queréis? Vamos a ver.
JUAN. Ver.
LUCÍA. ¿Ver? ¿Qué veréis a esta hora? 1370
JUAN. A tu señora.
LUCÍA. Idos, hidalgo, en mal hora;
¿quién pensáis que vive aquí?
JUAN. Doña Ana de Pantoja, y
quiero ver a tu señora. 1375
LUCÍA. ¿Sabéis que casa doña Ana?
JUAN. Sí, mañana.
LUCÍA. ¿Y ha de ser tan infiel ya?
JUAN. Sí será.
LUCÍA. ¿Pues no es de don Luis Mejía? 1380
JUAN. ¡Ca! Otro día.
Hoy no es mañana, Lucía:
yo he de estar hoy con doña Ana,
y si se casa mañana,
mañana será otro día. 1385
LUCÍA. ¡Ah! ¿En recibiros está?
JUAN. Podrá.
LUCÍA. ¿Qué haré si os he de servir?
JUAN. Abrir.
LUCÍA. ¡Bah! ¿Y quién abre este castillo? 1390
JUAN. Ese bolsillo.
LUCÍA. ¿Oro?
JUAN. Pronto te dio el brillo.
LUCÍA. ¡Cuánto!
JUAN. De cien doblas pasa.
LUCÍA. ¡Jesús!

Juan y la criada de doña Ana de Pantoja. Ya por aquí entraba yo en la senda del amancebamiento y mal gusto de que adolece mucha parte de mi obra; porque el ovillejo, o séptima real, es la más forzada y falsa metrificación que conozco: pero afortunadamente para mí, el público, incurriendo después en mi mismo mal gusto y amaneramiento, se ha pagado de esta escena y de estos ovillejos, como cuando yo los hice a oscuras y de memoria en una hora de insomnio» *(Obras Completas,* II, pág. 1800).

JUAN. Cuenta y di: ¿esta casa
podrá abrir este bolsillo? 1395
LUCÍA. ¡Oh! Si es quien me dora el pico...
JUAN. Muy rico. *(Interrumpiéndola.)*
LUCÍA. ¿Sí? ¿Qué nombre usa el galán?
JUAN. Don Juan. 1400
LUCÍA. ¿Sin apellido notorio?
JUAN. Tenorio.
LUCÍA. ¡Ánimas del purgatorio!
¿Vos don Juan?
JUAN. ¿Qué te amedrenta,
si a tus ojos se presenta
muy rico don Juan Tenorio? 1405
LUCÍA. Rechina la cerradura.
JUAN. Se asegura.
LUCÍA. ¿Y a mí, quién? ¡Por Belcebú!
JUAN. Tú.
LUCÍA. ¿Y qué me abrirá el camino? 1410
JUAN. Buen tino.
LUCÍA. ¡Bah! Ir en brazos del destino...
JUAN. Dobla el oro.
LUCÍA. Me acomodo.
JUAN. Pues mira cómo de todo
se asegura tu buen tino. 1415
LUCÍA. Dadme algún tiempo, ¡pardiez!
JUAN. A las diez.
LUCÍA. ¿Dónde os busco, o vos a mí?
JUAN. Aquí.
LUCÍA. ¿Conque estaréis puntual, eh? 1420
JUAN. Estaré.
LUCÍA. Pues yo una llave os traeré.
JUAN. Y yo otra igual cantidad.
LUCÍA. No me faltéis.
JUAN. No en verdad;
a las diez aquí estaré. 1425
Adiós, pues, y en mí te fía.

LUCÍA. Y en mí el garboso galán.
JUAN. Adiós, pues, franca Lucía.
LUCÍA. Adiós, pues, rico don Juan.

(LUCÍA *cierra la ventana.* CIUTTI *se acerca a* DON JUAN *a una señal de éste.)*

ESCENA XII

DON JUAN, CIUTTI

JUAN. *(Riéndose.)*
Con oro nada hay que falle. 1430
Ciutti, ya sabes mi intento:
a las nueve en el convento;
a las diez, en esta calle. *(Vanse.)*

1433 El propio Zorrilla critica el discurrir del tiempo en la obra: «El primer acto comienza a las ocho; pasa todo: prenden a D. Juan y a D. Luis; cuentan cómo se han arreglado para salir de prisión; preparan D. Juan y Ciutti la traición contra D. Luis, y concluye el acto segundo diciendo D. Juan:

A las nueve en el convento
a las diez en esta calle.

Reloj en mano, y había uno en la embocadura del teatro en que se estrenó, son las nueve y tres cuartos; dando de barato que en el entreacto haya podido pasar lo que pasa. Estas horas de doscientos minutos son exclusivamente propias del reloj de mi D. Juan» *(Recuerdos..., en Obras Completas,* II, pág. 1802).

ACTO TERCERO

Profanación

PERSONAS

DON JUAN, DOÑA INÉS, DON GONZALO, BRÍGIDA, LA ABADESA, LA TORNERA

Celda de DOÑA INÉS. *Puerta en el fondo y a la izquierda.*

ESCENA PRIMERA

DOÑA INÉS, LA ABADESA

ABADESA. ¿Conque me habéis entendido?
INÉS. Sí, señora.
ABADESA. Está muy bien; 1435
la voluntad decisiva
de vuestro padre tal es.
Sois joven, cándida y buena;
vivido en el claustro habéis
casi desde que nacisteis; 1440
y para quedar en él
atada con santos votos
para siempre, ni aún tenéis,
como otras, pruebas difíciles
ni penitencias que hacer. 1445

¡Dichosa mil veces vos!
Dichosa, sí, doña Inés,
que no conociendo el mundo,
no le debéis de temer.
¡Dichosa vos, que del claustro 1450
al pisar en el dintel,
no os volveréis a mirar
lo que tras vos dejaréis!
Y los mundanos recuerdos
del bullicio y del placer 1455
no os turbarán tentadores
del ara santa a los pies;
pues ignorando lo que hay
tras esa santa pared,
lo que tras ella se queda 1460
jamás apeteceréis.
Mansa paloma enseñada
en las palmas a comer
del dueño que la ha criado
en doméstico vergel, 1465
no habiendo salido nunca
de la protectora red,
no ansiaréis nunca las alas
por el espacio tender.
Lirio gentil, cuyo tallo 1470
mecieron sólo tal vez
las embalsamadas brisas
del más florecido mes,
aquí los besos del aura
vuestro cáliz abriréis, 1475

1449 *debéis de temer:* uso incorrecto de la preposición «de». La frase implica matiz de obligación y, por tanto, debería ir sin preposición.

1451 *dintel:* un dintel es la parte superior de una puerta; sin lugar a dudas, Zorrilla se refiere al umbral.

y aquí vendrán vuestras hojas
tranquilamente a caer.
Y en el pedazo de tierra
que abarca nuestra estrechez,
y en el pedazo de cielo 1480
que por las rejas se ve,
vos no veréis más que un lecho
do en dulce sueño yacer,
y un velo azul suspendido
a las puertas del Edén. 1485
¡Ay! En verdad que os envidio,
venturosa doña Inés,
con vuestra inocente vida,
la virtud del no saber.
¿Mas por qué estáis cabizbaja? 1490
¿Por qué no me respondéis
como otras veces, alegre,
cuando en lo mismo os hablé?
¿Suspiráis?... ¡Oh!, ya comprendo:
de vuelta aquí hasta no ver 1495
a vuestra aya, estáis inquieta;
pero nada receléis.
A casa de vuestro padre
fue casi al anochecer,
y abajo en la portería 1500
estará: yo os la enviaré,
que estoy de vela esta noche.
Conque, vamos, doña Inés,
recogeos, que ya es hora:
mal ejemplo no me deis 1505
a las novicias, que ha tiempo
que duermen ya. Hasta después.

INÉS. Id con Dios, madre abadesa.

ABADESA. Adiós, hija.

ESCENA II

DOÑA INÉS

Ya se fue.
No sé qué tengo, ¡ay de mí!, 1510
que en tumultuoso tropel
mil encontradas ideas
me combaten a la vez.
Otras noches complacida
sus palabras escuché; 1515
y de esos cuadros tranquilos
que sabe pintar tan bien,
de esos placeres domésticos
la dichosa sencillez
y la calma venturosa, 1520
me hicieron apetecer
la soledad de los claustros
y su santa rigidez.
Mas hoy la oí distraída,
y en sus pláticas hallé, 1525
si no enojosos discursos
a lo menos aridez.
Y no sé por qué al decirme
que podría acontecer
que se acelerase el día 1530
de mi profesión, temblé;
y sentí del corazón
acelerarse el vaivén,
y teñírseme el semblante
de amarilla palidez. 1535
¡Ay de mí...! ¡Pero mi dueña,
dónde estará...! Esa mujer

1531 *profesión:* acto de profesar, de cumplir con los votos propios de la orden religiosa.

con sus pláticas al cabo
me entretiene alguna vez.
Y hoy la echo menos... acaso 1540
porque la voy a perder,
que en profesando es preciso
renunciar a cuanto amé.
Mas pasos siento en el claustro;
¡oh!, reconozco muy bien 1545
sus pisadas... Ya está aquí.

ESCENA III

DOÑA INÉS, BRÍGIDA

BRÍGIDA. Buenas noches, doña Inés.
INÉS. ¿Cómo habéis tardado tanto?
BRÍGIDA. Voy a cerrar esta puerta.
INÉS. Hay orden de que esté abierta. 1550
BRÍGIDA. Eso es muy bueno y muy santo
para las otras novicias
que han de consagrarse a Dios,
no, doña Inés, para vos.
INÉS. Brígida, ¿no ves que vicias 1555
las reglas del monasterio
que no permiten...?
BRÍGIDA. ¡Bah!, ¡bah!
Más seguro así se está,
y así se habla sin misterio
ni estorbos. ¿Habéis mirado 1560
el libro que os he traído?
INÉS. ¡Ay!, se me había olvidado.
BRÍGIDA. ¡Pues me hace gracia el olvido!
INÉS. ¡Como la madre abadesa
se entró aquí inmediatamente! 1565
BRÍGIDA. ¡Vieja más impertinente!
INÉS. ¿Pues tanto el libro interesa?

BRÍGIDA. ¡Vaya si interesa! Mucho.
¡Pues quedó con poco afán
el infeliz!

INÉS. ¿Quién?

BRÍGIDA. Don Juan. 1570

INÉS. ¡Válgame el cielo! ¡Qué escucho!
¿Es don Juan quien me le envía?

BRÍGIDA. Por supuesto.

INÉS. ¡Oh! Yo no debo
tomarle.

BRÍGIDA. ¡Pobre mancebo!
Desairarle así, sería 1575
matarle.

INÉS. ¿Qué estás diciendo?

BRÍGIDA. Si ese horario no tomáis,
tal pesadumbre le dais
que va a enfermar; lo estoy viendo.

INÉS. ¡Ah! No, no: de esa manera, 1580
le tomaré.

BRÍGIDA. Bien haréis.

INÉS. ¡Y qué bonito que es!

BRÍGIDA. Ya veis;
quien quiere agradar, se esmera.

INÉS. Con sus manecillas de oro.
¡Y cuidado que está prieto! 1585
A ver, a ver si completo
contiene el rezo del coro. *(Le abre, y cae una carta de entre sus hojas.)*
Mas, ¿qué cayó?

BRÍGIDA. Un papelito.

INÉS. ¡Una carta!

BRÍGIDA. Claro está;

1584 *manecillas:* «Broche con que se cierran algunas cosas, particularmente los libros de devoción» *(DRAE).*

en esa carta os vendrá 1590
ofreciendo el regalito.

INÉS. ¡Qué! ¿Será suyo el papel?

BRÍGIDA. ¡Vaya, que sois inocente!
Pues que os feria, es consiguiente
que la carta será de él. 1595

INÉS. ¡Ay, Jesús!

BRÍGIDA. ¿Qué es lo que os da?

INÉS. Nada, Brígida, no es nada.

BRÍGIDA. No, no; si estáis inmutada.
(Ya presa en la red está.)
¿Se os pasa?

INÉS. Sí.

BRÍGIDA. Eso habrá sido. 1600
cualquier mareíllo vano.

INÉS. ¡Ay! Se me abrasa la mano
con que el papel he cogido.

BRÍGIDA. Doña Inés, ¡válgame Dios!
Jamás os he visto así: 1605
estáis trémula.

INÉS. ¡Ay de mí!

BRÍGIDA. ¿Qué es lo que pasa por vos?

INÉS. No sé... El campo de mi mente
siento que cruzan perdidas
mil sombras desconocidas 1610
que me inquietan vagamente;
y ha tiempo al alma me dan
con su agitación tortura.

BRÍGIDA. ¿Tiene alguna, por ventura,
el semblante de don Juan? 1615

INÉS. No sé: desde que le vi,
Brígida mía, y su nombre
me dijiste, tengo a ese hombre

1594 *os feria:* os agasaja, os hace regalos.

siempre delante de mí.
Por doquiera me distraigo. 1620
con su agradable recuerdo,
y si un instante le pierdo,
en su recuerdo recaigo.
No sé qué fascinación
en mis sentidos ejerce, 1625
que siempre hacia él se me tuerce
la mente y el corazón:
y aquí y en el oratorio,
y en todas partes, advierto
que el pensamiento divierto 1630
con la imagen de Tenorio.

BRÍGIDA. ¡Válgame Dios! Doña Inés,
según lo vais explicando,
tentaciones me van dando
de creer que eso amor es. 1635

INÉS. ¡Amor has dicho!

BRÍGIDA. Sí, amor.

INÉS. No, de ninguna manera.

BRÍGIDA. Pues por amor lo entendiera
el menos entendedor;
mas vamos la carta a ver. 1640
¿En qué os paráis? ¿Un suspiro?

INÉS. ¡Ay!, que cuanto más la miro,
menos me atrevo a leer. *(Lee.)*
«Doña Inés del alma mía».
¡Virgen Santa, qué principio! 1645

BRÍGIDA. Vendrá en verso, y será un ripio
que traerá la poesía.
Vamos, seguid adelante.

INÉS. *(Lee.)*
«Luz de donde el sol la toma,
hermosísima paloma 1650
privada de libertad,
si os dignáis por estas letras

	pasar vuestros lindos ojos,	
	no los tornéis con enojos	
	sin concluir, acabad».	1655
BRÍGIDA.	¡Qué humildad! ¡Y qué finura!	
	¿Dónde hay mayor rendimiento?	
INÉS.	Brígida, no sé qué siento.	
BRÍGIDA.	Seguid, seguid la lectura.	
	(Lee.)	
INÉS.	«Nuestros padres de consuno	1660
	nuestras bodas acordaron,	
	porque los cielos juntaron	
	los destinos de los dos.	
	Y halagado desde entonces	
	con tan risueña esperanza,	1665
	mi alma, doña Inés, no alcanza	
	otro porvenir que vos.	
	De amor con ella en mi pecho	
	brotó una chispa ligera,	
	que han convertido en hoguera	1670
	tiempo y afición tenaz:	
	y esta llama que en mí mismo	
	se alimenta inextinguible,	
	cada día más terrible	
	va creciendo y más voraz».	1675
BRÍGIDA.	Es claro; esperar le hicieron	
	en vuestro amor algún día,	
	y hondas raíces tenía	
	cuando a arrancársele fueron.	
	Seguid.	
INÉS.	*(Lee.)*	
	«En vano a apagarla	1680
	concurren tiempo y ausencia,	
	que doblando su violencia,	
	no hoguera ya, volcán es.	
	Y yo, que en medio del cráter	
	desamparado batallo,	1685

suspendido en él me hallo
entre mi tumba y mi Inés».

BRÍGIDA. ¿Lo veis, Inés? Si ese horario
lo despreciáis, al instante
le preparan el sudario. 1690

INÉS. Yo desfallezco.

BRÍGIDA. Adelante.

INÉS. *(Lee.)*
«Inés, alma de mi alma,
perpetuo imán de mi vida,
perla sin concha escondida
entre las algas del mar; 1695
garza que nunca del nido
tender osastes el vuelo,
el diáfano azul del cielo
para aprender a cruzar:
si es que a través de esos muros 1700
el mundo apenada miras,
y por el mundo suspiras
de libertad con afán,
acuérdate que al pie mismo
de esos muros que te guardan, 1705
para salvarte te aguardan
los brazos de tu don Juan».
(Representa.)
¿Qué es lo que me pasa, ¡cielo!,
que me estoy viendo morir?

BRÍGIDA. (Ya tragó todo el anzuelo.) 1710
Vamos, que está al concluir.

INÉS. *(Lee.)*
«Acuérdate de quien llora
al pie de tu celosía
y allí le sorprende el día

1697 *osastes:* debe ir sin «s» final, pero la incorpora para adecuar el verso a la métrica.

y le halla la noche allí; 1715
acuérdate de quien vive
sólo por ti, ¡vida mía!,
y que a tus pies volaría
si le llamaras a ti».

BRÍGIDA. ¿Lo veis? Vendría.
INÉS. ¡Vendría! 1720
BRÍGIDA. A postrarse a vuestros pies.
INÉS. ¿Puede?
BRÍGIDA. ¡Oh!, sí.
INÉS. ¡Virgen María!
BRÍGIDA. Pero acabad, doña Inés.
INÉS. *(Lee.)*
«Adiós, ¡oh luz de mis ojos!
Adiós, Inés de mi alma: 1725
medita, por Dios, en calma
las palabras que aquí van:
y si odias esa clausura,
que ser tu sepulcro debe,
manda, que a todo se atreve 1730
por tu hermosura don Juan».
(Representa DOÑA INÉS.)
¡Ay! ¿Qué filtro envenenado
me dan en este papel,
que el corazón desgarrado
me estoy sintiendo con él? 1735
¿Qué sentimientos dormidos
son los que revela en mí?
¿Qué impulsos jamás sentidos?
¿Qué luz, que hasta hoy nunca vi?
¿Qué es lo que engendra en mi alma 1740
tan nuevo y profundo afán?
¿Quién roba la dulce calma
de mi corazón?
BRÍGIDA. Don Juan.
INÉS. ¡Don Juan dices...! ¿Conque ese hombre

me ha de seguir por doquier? 1745
¿Sólo he de escuchar su nombre?
¿Sólo su sombra he de ver?
¡Ah! Bien dice: juntó el cielo
los destinos de los dos,
y en mi alma engendró este anhelo 1750
fatal.

BRÍGIDA. ¡Silencio, por Dios!

(Se oyen dar las ánimas.) *

INÉS. ¿Qué?
BRÍGIDA. ¡Silencio!
INÉS. Me estremeces.
BRÍGIDA. ¿Oís, doña Inés, tocar?
INÉS. Sí, lo mismo que otras veces
las ánimas oigo dar. 1755
BRÍGIDA. Pues no habléis de él.
INÉS. ¡Cielo santo!
¿De quién?
BRÍGIDA. ¿De quién ha de ser?
De ese don Juan que amáis tanto,
porque puede aparecer.
INÉS. ¡Me amedrentas! ¿Puede ese hombre 1760
llegar hasta aquí?
BRÍGIDA. Quizá.
Porque el eco de su nombre
tal vez llega adonde está.

---

* El toque de ánimas anunciado en el acto anterior. E. Ramírez Ángel comenta este detalle: «Hojeando rápidamente hemos visto que suena el toque de ánimas en *Un año y un día* (acto 2.º), en *El encapuchado* (acto 3.º), en *El alcalde Ronquillo* (acto 1.º), en *El zapatero y el rey,* primera parte, (acto 1.º), y además en la segunda, acto también 1.º [...] de suerte que en el teatro zorrillesco las campanas desempeñan un papel tan importante y decisivo como la noche, la tormenta, los embozados, las dagas, los pergaminos, los ruidos diversos y los personajes misteriosos que se sientan al amor de la lumbre» *(José Zorrilla. Biografía anecdótica,* Mundo Latino, Madrid, 1911, pág. 78). Evidentemente, estos rasgos le destacan como uno de los autores más representativos del romanticismo español.

INÉS. ¡Cielos! ¿Y podrá?...
BRÍGIDA. ¿Quién sabe?
INÉS. ¿Es un espíritu, pues? 1765
BRÍGIDA. No, mas si tiene una llave...
INÉS. ¡Dios!
BRÍGIDA. Silencio, doña Inés:
¿no oís pasos?
INÉS. ¡Ay! Ahora
nada oigo.
BRÍGIDA. Las nueve dan.
Suben..., se acercan... Señora... 1770
Ya está aquí.
INÉS. ¿Quién?
BRÍGIDA. Él.
INÉS. ¡Don Juan!

ESCENA IV

DOÑA INÉS, DON JUAN, BRÍGIDA

INÉS. ¿Qué es esto? Sueño..., deliro.
JUAN. ¡Inés de mi corazón!
INÉS. ¿Es realidad lo que miro,
o es una fascinación...? 1775
Tenedme..., apenas respiro...
Sombra..., huye por compasión.
¡Ay de mí...!

(Desmáyase DOÑA INÉS *y* DON JUAN *la sostiene. La carta de* DON JUAN *queda en el suelo abandonada por* DOÑA INÉS *al desmayarse.)*

BRÍGIDA. La ha fascinado
vuestra repentina entrada,
y el pavor la ha trastornado. 1780
JUAN. Mejor: así nos ha ahorrado

la mitad de la jornada.
¡Ea! No desperdiciemos
el tiempo aquí en contemplarla,
si perdernos no queremos. 1785
En los brazos a tomarla
voy, y cuanto antes, ganemos
ese claustro solitario.

BRÍGIDA. ¡Oh! ¿Vais a sacarla así? 1790

JUAN. Necia, ¿piensas que rompí
la clausura, temerario,
para dejármela aquí?
Mi gente abajo me espera:
sígueme.

BRÍGIDA. ¡Sin alma estoy!
¡Ay! Este hombre es una fiera; 1795
nada le ataja ni altera...
Sí, sí; a su sombra me voy.

ESCENA V

LA ABADESA

Jurara que había oído
por estos claustros andar:
hoy a doña Inés velar 1800
algo más la he permitido.
Y me temo... Mas no están
aquí. ¡Qué pudo ocurrir
a las dos, para salir
de la celda? ¿Dónde irán? 1805
¡Hola! Yo las ataré
corto para que no vuelvan
a enredar, y me revuelvan
a las novicias..., sí, a fe.
Mas siento por allá fuera 1810
pasos. ¿Quién es?

ESCENA VI

LA ABADESA, LA TORNERA

TORNERA. Yo, señora.
ABADESA. ¡Vos en el claustro a esta hora!
¿Qué es esto, hermana tornera?
TORNERA. Madre abadesa, os buscaba.
ABADESA. ¿Qué hay? Decid.
TORNERA. Un noble anciano 1815
quiere hablaros.
ABADESA. Es en vano.
TORNERA. Dice que es de Calatrava
caballero; que sus fueros
le autorizan a este paso,
y que la urgencia del caso 1820
le obliga al instante a veros.
ABADESA. ¿Dijo su nombre?
TORNERA. El señor
don Gonzalo de Ulloa.
ABADESA. ¿Qué
puede querer...? Abralé,
hermana: es comendador 1825
de la Orden, y derecho
tiene en el claustro de entrada.

ESCENA VII

LA ABADESA

ABADESA. ¿A una hora tan avanzada
venir así...? No sospecho

1819 El maestre y el comendador de la Orden de Calatrava tenían libre acceso a la clausura de los conventos de su orden.
1824 *abralé:* nuevo caso de diástole.

qué pueda ser..., mas me place, 1830
pues no hallando a su hija aquí,
la reprenderá, y así
mirará otra vez lo que hace.

ESCENA VIII

LA ABADESA, DON GONZALO, LA TORNERA, *a la puerta*

GONZA. Perdonad, madre abadesa,
que en hora tal os moleste; 1835
mas para mí, asunto es éste
que honra y vida me interesa.
ABADESA. ¡Jesús!
GONZA. Oíd.
ABADESA. Hablad, pues.
GONZA. Yo guardé hasta hoy un tesoro
de más quilates que el oro, 1840
y ese tesoro es mi Inés.
ABADESA. A propósito.
GONZA. Escuchad.
Se me acaba de decir
que han visto a su dueña ir
ha poco por la ciudad 1845
hablando con el criado
de un don Juan, de tal renombre,
que no hay en la tierra otro hombre
tan audaz y tan malvado.
En tiempo atrás se pensó 1850
con él a mi hija casar,
y hoy, que se la fui a negar,
robármela me juró.
Que por el torpe doncel
ganada la dueña está, 1855
no puedo dudarlo ya:
debo, pues, guardarme de él.

Y un día, una hora quizás
de imprevisión, le bastara
para que mi honor manchara 1860
a ese hijo de Satanás.
He aquí mi inquietud cuál es:
por la dueña, en conclusión,
vengo; vos la profesión
abreviad de doña Inés. 1865

ABADESA. Sois padre, y es vuestro afán
muy justo, comendador;
mas ved que ofende a mi honor.

GONZA. No sabéis quién es don Juan.

ABADESA. Aunque le pintáis tan malo, 1870
yo os puedo decir de mí,
que mientra Inés esté aquí,
segura está, don Gonzalo.

GONZA. Lo creo; mas las razones
abreviemos: entregadme 1875
a esa dueña, y perdonadme
mis mundanas opiniones.
Si vos de vuestra virtud
me respondéis, yo me fundo
en que conozco del mundo 1880
la insensata juventud.

ABADESA. Se hará como lo exigís.
Hermana tornera, id, pues,
a buscar a doña Inés
y a su dueña. (*Vase* LA TORNERA.)

GONZA. ¿Qué decís, 1885
señora? O traición me ha hecho
mi memoria, o yo sé bien
que ésta es hora de que estén
ambas a dos en su lecho.

1872 *mientra:* forma arcaica de «mientras», que permite mantener la sinalefa y la medida del verso.

ABADESA. Ha un punto sentí a las dos 1890
salir de aquí, no sé a qué.
GONZA. ¡Ay! Por qué tiemblo no sé.
¡Mas qué veo, santo Dios!
Un papel..., me lo decía
a voces mi mismo afán. *(Leyendo.)* 1895
«Doña Inés del alma mía...».
Y la firma de don Juan.
Ved..., ved..., esa prueba escrita.
Leed ahí... ¡Oh! Mientras que vos
por ella rogáis a Dios 1900
viene el diablo y os la quita.

ESCENA IX

LA ABADESA, DON GONZALO, LA TORNERA

TORNERA. Señora...
ABADESA. ¿Qué es?
TORNERA. Vengo muerta.
GONZA. Concluid.
TORNERA. No acierto a hablar...
He visto a un hombre saltar 1905
por las tapias de la huerta.
GONZA. ¿Veis? Corramos. ¡Ay de mí!
ABADESA. ¿Dónde vais, comendador?
GONZA. ¡Imbécil!, tras de mi honor,
que os roban a vos de aquí.

ACTO CUARTO

El Diablo a las puertas del Cielo

PERSONAS

DON JUAN, DOÑA INÉS, DON GONZALO, DON LUIS, CIUTTI,
BRÍGIDA, ALGUACILES 1.º *y* 2.º

Quinta de DON JUAN TENORIO *cerca de Sevilla y sobre el Guadalquivir. Balcón en el fondo. Dos puertas a cada lado.*

ESCENA PRIMERA

BRÍGIDA, CIUTTI

BRÍGIDA. ¡Qué noche, válgame Dios! 1910
A poderlo calcular
no me meto yo a servir
a tan fogoso galán.
¡Ay, Ciutti! Molida estoy;
no me puedo menear. 1915
CIUTTI. ¿Pues qué os duele?
BRÍGIDA. Todo el cuerpo
y toda el alma además.
CIUTTI. ¡Ya! No estáis acostumbrada
al caballo, es natural.
BRÍGIDA. Mil veces pensé caer: 1920
¡uf!, ¡qué mareo!, ¡qué afán!

Veía yo unos tras otros
ante mis ojos pasar
los árboles, como en alas
llevados de un huracán, 1925
tan apriesa y produciéndome
ilusión tan infernal,
que perdiera los sentidos
si tardamos en parar.

CIUTTI. Pues de estas cosas veréis, 1930
si en esta casa os quedáis,
lo menos seis por semana.

BRÍGIDA. ¡Jesús!

CIUTTI. ¿Y esa niña está
reposando todavía? 1935

BRÍGIDA. ¿Y a qué se ha de despertar?

CIUTTI. Sí, es mejor que abra los ojos
en los brazos de don Juan.

BRÍGIDA. Preciso es que tu amo tenga
algún diablo familiar.

CIUTTI. Yo creo que sea él mismo 1940
un diablo en carne mortal
porque a lo que él, solamente
se arrojara Satanás.

BRÍGIDA. ¡Oh! ¡El lance ha sido extremado!

CIUTTI. Pero al fin logrado está. 1945

BRÍGIDA. ¡Salir así de un convento
en medio de una ciudad
como Sevilla!

CIUTTI. Es empresa
tan sólo para hombre tal.
Mas, ¡qué diablo!, si a su lado 1950
la fortuna siempre va,
y encadenado a sus pies
duerme sumiso el azar.

BRÍGIDA. Sí, decís bien.

CIUTTI. No he visto hombre
de corazón más audaz; 1955
ni halla riesgo que le espante,
ni encuentra dificultad
que al empeñarse en vencer
le haga un punto vacilar.
A todo osado se arroja, 1960
de todo se ve capaz,
ni mira dónde se mete,
ni lo pregunta jamás.
«Allí hay un lance», le dicen;
y él dice: «Allá va don Juan». 1965
¡Mas ya tarda, vive Dios!

BRÍGIDA. Las doce en la catedral
han dado ha tiempo.

CIUTTI. Y de vuelta
debía a las doce estar.

BRÍGIDA. ¿Pero por qué no se vino 1970
con nosotros?

CIUTTI. Tiene allá
en la ciudad todavía
cuatro cosas que arreglar.

BRÍGIDA. ¿Para el viaje?

CIUTTI. Por supuesto;
aunque muy fácil será 1975
que esta noche a los infiernos
le hagan a él mismo viajar.

BRÍGIDA. ¡Jesús, qué ideas!

CIUTTI. Pues digo:
¿son obras de caridad
en las que nos empleamos, 1980
para mejor esperar?
Aunque seguros estamos
cuando vuelva por acá.

BRÍGIDA. ¿De veras, Ciutti?

CIUTTI. Venid

a este balcón, y mirad. 1985
¿Qué veis?

BRÍGIDA. Veo un bergantín
que anclado en el río está.

CIUTTI. Pues su patrón sólo aguarda
las órdenes de don Juan,
y salvos, en todo caso, 1990
a Italia nos llevará.

BRÍGIDA. ¿Cierto?

CIUTTI. Y nada receléis
por vuestra seguridad;
que es el barco más velero
que boga sobre la mar. 1995

BRÍGIDA. ¡Chist! Ya siento a doña Inés.

CIUTTI. Pues yo me voy, que don Juan
encargó que sola vos
debíais con ella hablar.

BRÍGIDA. Y encargó bien, que yo entiendo 2000
de esto.

CIUTTI. Adiós, pues.

BRÍGIDA. Vete en paz.

ESCENA II

DOÑA INÉS, BRÍGIDA

INÉS. Dios mío, ¡cuánto he soñado!
Loca estoy: ¿qué hora será?
¿Pero qué es esto? ¡Ay de mí!
No recuerdo que jamás 2205
haya visto este aposento.
¿Quién me trajo aquí?

BRÍGIDA. Don Juan.

INÉS. Siempre don Juan..., ¿mas conmigo
aquí tú también estás,
Brígida?

BRÍGIDA. Sí, doña Inés. 2010
INÉS. Pero dime, en caridad,
¿dónde estamos? ¿Este cuarto
es del convento?
BRÍGIDA. No tal:
aquello era un cuchitril
en donde no había más 2015
que miseria.
INÉS. Pero, en fin,
¿en dónde estamos?
BRÍGIDA. Mirad,
mirad por este balcón,
y alcanzaréis lo que va
desde un convento de monjas 2020
a una quinta de don Juan.
INÉS. ¿Es de don Juan esta quinta?
BRÍGIDA. Y creo que vuestra ya.
INÉS. Pero no comprendo, Brígida,
lo que me hablas. 2025
BRÍGIDA. Escuchad.
Estabais en el convento
leyendo con mucho afán
una carta de don Juan,
cuando estalló en un momento
un incendio formidable. 2030
INÉS. ¡Jesús!
BRÍGIDA. Espantoso, inmenso;
el humo era ya tan denso,
que el aire se hizo palpable.
INÉS. Pues no recuerdo...
BRÍGIDA. Las dos
con la carta entretenidas, 2035
olvidamos nuestras vidas,
yo oyendo, y leyendo vos.
Y estaba, en verdad, tan tierna,
que entrambas a su lectura

achacamos la tortura 2040
que sentíamos interna.
Apenas ya respirar
podíamos, y las llamas
prendían ya en nuestras camas:
nos íbamos a asfixiar, 2045
cuando don Juan, que os adora,
y que rondaba el convento,
al ver crecer con el viento
la llama devastadora,
con inaudito valor, 2050
viendo que ibais a abrasaros,
se metió para salvaros,
por donde pudo mejor.
Vos, al verle así asaltar
la celda tan de improviso, 2055
os desmayasteis..., preciso;
la cosa era de esperar.
Y él, cuando os vio caer así,
en sus brazos os tomó
y echó a huir; yo le seguí, 2060
y del fuego nos sacó.
¿Dónde íbamos a esta hora?
Vos seguíais desmayada,
yo estaba ya casi ahogada.
Dijo, pues: «Hasta la aurora 2065
en mi casa las tendré».
Y henos, doña Inés, aquí.

INÉS. ¿Conque ésta es su casa?

BRÍGIDA. Sí.

INÉS. Pues nada recuerdo, a fe.
Pero..., ¡en su casa...! ¡Oh! Al punto 2070
salgamos de ella..., yo tengo
la de mi padre.

BRÍGIDA. Convengo
con vos; pero es el asunto...

INÉS. ¿Qué?
BRÍGIDA. Que no podemos ir. 2075
INÉS. Oír tal me maravilla.
BRÍGIDA. Nos aparta de Sevilla...
INÉS. ¿Quién?
BRÍGIDA. Vedlo, el Guadalquivir.
INÉS. ¿No estamos en la ciudad?
BRÍGIDA. A una legua nos hallamos
de sus murallas.
INÉS. ¡Oh! Estamos 2080
perdidas!
BRÍGIDA. ¡No sé, en verdad,
por qué!
INÉS. Me estás confundiendo,
Brígida..., y no sé qué redes
son las que entre estas paredes
temo que me estás tendiendo. 2085
Nunca el claustro abandoné,
ni sé del mundo exterior
los usos: mas tengo honor.
Noble soy, Brígida, y sé
que la casa de don Juan 2090
no es buen sitio para mí:
me lo está diciendo aquí
no sé qué escondido afán.
Ven, huyamos.
BRÍGIDA. Doña Inés,
la existencia os ha salvado. 2095
INÉS. Sí, pero me ha envenenado
el corazón.
BRÍGIDA. ¿Le amáis, pues?
INÉS. No sé..., mas, por compasión,
huyamos pronto de ese hombre,
tras de cuyo solo nombre 2100
se me escapa el corazón.
¡Ah! Tú me diste un papel

de mano de ese hombre escrito,
y algún encanto maldito
me diste encerrado en él. 2105
Una sola vez le vi
por entre unas celosías,
y que estaba, me decías,
en aquel sitio por mí.
Tú, Brígida, a todas horas 2110
me venías de él a hablar,
haciéndome recordar
sus gracias fascinadoras.
Tú me dijiste que estaba
para mío destinado 2115
por mi padre..., y me has jurado
en su nombre que me amaba.
¿Que le amo, dices?... Pues bien,
si esto es amar, sí, le amo;
pero yo sé que me infamo 2120
con esa pasión también.
Y si el débil corazón
se me va tras de don Juan,
tirándome de él están
mi honor y mi obligación. 2125
Vamos, pues; vamos de aquí
primero que ese hombre venga;
pues fuerza acaso no tenga
si le veo junto a mí.
Vamos, Brígida.

BRÍGIDA. Esperad. 2130
¿No oís?

INÉS. ¿Qué?

BRÍGIDA. Ruido de remos.

INÉS. Sí, dices bien; volveremos
en un bote a la ciudad.

BRÍGIDA. Mirad, mirad, doña Inés.

INÉS. Acaba..., por Dios, partamos. 2135

BRÍGIDA. Ya imposible que salgamos.
INÉS. ¿Por qué razón?
BRÍGIDA. Porque él es
quien en ese barquichuelo
se adelanta por el río.
INÉS. ¡Ay! ¡Dadme fuerzas, Dios mío! 2140
BRÍGIDA. Ya llegó, ya está en el suelo.
Sus gentes nos volverán
a casa: mas antes de irnos,
es preciso despedirnos
a lo menos de don Juan. 2145
INÉS. Sea, y vamos al instante.
No quiero volverle a ver.
BRÍGIDA. (Los ojos te hará volver
el encontrarle delante.)
Vamos.
INÉS. Vamos.
CIUTTI. Aquí están. 2150
JUAN. *(Ídem.)*
Alumbra.
BRÍGIDA. ¡Nos busca!
INÉS. Él es.

ESCENA III

DICHAS, DON JUAN

JUAN. ¿Adónde vais, doña Inés?
INÉS. Dejadme salir, don Juan.
JUAN. ¿Que os deje salir?
BRÍGIDA. Señor,
sabiendo ya el accidente 2155
del fuego, estará impaciente
por su hija el comendador.
JUAN. ¡El fuego! ¡Ah! No os dé cuidado
por don Gonzalo, que ya

dormir tranquilo le hará 2160
el mensaje que le he enviado.

INÉS. ¿Le habéis dicho...?

JUAN. Que os hallabais
bajo mi amparo segura,
y el aura del campo pura,
libre, por fin, respirabais. 2165
¡Cálmate, pues, vida mía!
Reposa aquí; y un momento
olvida de tu convento
la triste cárcel sombría.
¡Ah! ¿No es cierto, ángel de amor, 2170
que en esta apartada orilla
más pura la luna brilla
y se respira mejor?
Esta aura que vaga, llena
de los sencillos olores 2175
de las campesinas flores
que brota esa orilla amena;
esa agua limpia y serena
que atraviesa sin temor
la barca del pescador 2180
que espera cantando el día,
¿no es cierto, paloma mía,
que están respirando amor?
Esa armonía que el viento
recoge entre esos millares 2185
de floridos olivares,
que agita con manso aliento;
ese dulcísimo acento
con que trina el ruiseñor
de sus copas morador, 2190
llamando al cercano día,
¿no es verdad, gacela mía,
que están respirando amor?
Y estas palabras que están

filtrando insensiblemente 2195
tu corazón, ya pendiente
de los labios de don Juan,
y cuyas ideas van
inflamando en su interior
un fuego germinador 2200
no encendido todavía,
¿no es verdad, estrella mía,
que están respirando amor?
Y esas dos líquidas perlas
que se desprenden tranquilas 2205
de tus radiantes pupilas
convidándome a beberlas,
evaporarse, a no verlas,
de sí mismas al calor;
y ese encendido color 2210
que en tu semblante no había,
¿no es verdad, hermosa mía
que están respirando amor?
¡Oh! Sí, bellísima Inés,
espejo y luz de mis ojos; 2215
escucharme sin enojos,
como lo haces, amor es:
mira aquí a tus plantas, pues,
todo el altivo rigor
de este corazón traidor 2220
que rendirse no creía,
adorando, vida mía,
la esclavitud de tu amor.

2223 Zorrilla criticará posteriormente la inclusión de estas famosas décimas: «En esta situación altamente dramática, aquel enamorado, [...] cuando él sabe muy bien que no van a poder permanecer allí cinco minutos, no se le ocurre hablar a su amada más que de lo bien que se está allí donde se huelen las flores, se oye la canción del pescador y los gorjeos de los ruiseñores, en aquellas décimas tan famosas como fuera de lugar. [...] Como aquellas décimas no fueron por

INÉS. Callad, por Dios, ¡oh, don Juan!
que no podré resistir 2225
mucho tiempo, sin morir,
tan nunca sentido afán.
¡Ah! Callad, por compasión,
que oyéndoos, me parece
que mi cerebro enloquece, 2230
y se arde mi corazón.
¡Ah! Me habéis dado a beber
un filtro infernal sin duda,
que a rendiros os ayuda
la virtud de la mujer. 2235
Tal vez poseéis, don Juan,
un misterioso amuleto,
que a vos me atrae en secreto
como irresistible imán.
Tal vez Satán puso en vos 2240
su vista fascinadora,
su palabra seductora,
y el amor que negó a Dios.
¿Y qué he de hacer, ¡ay de mí!,
sino caer en vuestros brazos, 2245
si el corazón en pedazos
me vais robando de aquí?
No, don Juan, en poder mío
resistirte no está ya:
yo voy a ti, como va 2250
sorbido al mar ese río.
Tu presencia me enajena,

---

mí escritas acendrándolas en el crisol del sentimiento, sino exhalándolas en un delirio de mi fantasía, resulta su expresión falsa y descolorida por culpa únicamente mía; que me entretuve en meter a la pluma y a la gacela, y a las estrellas y a los azahares, en aquel dúo de arrullo de tórtolas, en lugar de probar en unos versos ardientes, vigorosos y apasionados, la verdad de aquel amor profundo, único, que, celeste o satánico, salva o condena» *(Recuerdos...*, en *Obras Completas,* II, pág. 1803).

tus palabras me alucinan,
y tus ojos me fascinan,
y tu aliento me envenena. 2255
¡Don Juan!, ¡don Juan!, yo lo imploro
de tu hidalga compasión:
o arráncame el corazón,
o ámame, porque te adoro.

JUAN. ¡Alma mía! Esa palabra 2260
cambia de modo mi ser,
que alcanzo que puede hacer
hasta que el Edén se me abra.
No es, doña Inés, Satanás
quien pone este amor en mí: 2265
es Dios, que quiere por ti
ganarme para *él* quizás.
No; el amor que hoy se atesora
en mi corazón mortal,
no es un amor terrenal 2270
como el que sentí hasta ahora;
no es esa chispa fugaz
que cualquier ráfaga apaga;

2256-2259 Estos cuatro versos los cita Clarín en *La regenta* para indicar la impresión que causaron en el ánimo de Ana Ozores. La representación del *Don Juan* en Vetusta le sirve a Clarín para escribir uno de los episodios más destacados de *La regenta*. En el capítulo XVI, Ana Ozores se identifica con doña Inés. «El tercer acto fue una revelación de poesía apasionada para doña Ana. [...] Ana se comparaba con la hija del Comendador; el caserón de los Ozores era su convento, su marido la regla estrecha de hastío y frialdad en que ya había profesado ocho años hacía... y don Juan... ¡Don Juan aquel Mesía que también se filtraba por las paredes, aparecía por milagro y llenaba el aire con su presencia! [...] Doña Inés decía: *Don Juan, don Juan, yo lo imploro / de tu hidalga condición...* Estos versos, que ha querido hacer ridículos y vulgares, manchándolos con su baba, la necedad prosaica, pasándolos mil y mil veces por sus labios viscosos como vientre de sapo, sonaron en los oídos de Ana aquella noche como frase sublime de un amor inocente y puro que se entrega con la fe en el objeto amado, natural en todo gran amor». *(La Regenta,* ed. Mariano Baquero Goyanes, Austral 363, Espasa Calpe, Madrid, 1999[6], págs. 462-465).

es incendio que se traga
cuanto ve, inmenso, voraz. 2275
Desecha, pues, tu inquietud,
bellísima doña Inés,
porque me siento a tus pies
capaz aún de la virtud.
Sí; iré mi orgullo a postrar 2280
ante el buen Comendador,
y, o habrá de darme tu amor,
o me tendrá que matar.

INÉS. ¡Don Juan de mi corazón!

JUAN. ¡Silencio! ¿Habéis escuchado? 2285

INÉS. ¿Qué?

JUAN. Sí, una barca ha atracado
(Mira por el balcón.)
debajo de ese balcón.
Un hombre embozado de ella
salta... Brígida, al momento
pasad a ese otro aposento, 2290
y perdonad, Inés bella,
si solo me importa estar.

INÉS. ¿Tardarás?

JUAN. Poco ha de ser.

INÉS. A mi padre hemos de ver.

JUAN. Sí, en cuanto empiece a clarear. 2295
Adiós.

ESCENA IV

DON JUAN, CIUTTI

CIUTTI. ¿Señor?

JUAN. ¿Qué sucede,
Ciutti?

CIUTTI. Ahí está un embozado
en veros muy empeñado.

JUAN. ¿Quién es?
CIUTTI. Dice que no puede
descubrirse más que a vos, 2300
y que es cosa de tal priesa,
que en ella se os interesa
la vida a entrambos a dos.
JUAN. ¿Y en él no has reconocido
marca ni señal alguna 2305
que nos oriente?
CIUTTI. Ninguna;
mas a veros decidido
viene.
JUAN. ¿Trae gente?
CIUTTI. No más
que los remeros del bote.
JUAN. Que entre.

ESCENA V

DON JUAN; *luego* CIUTTI *y* DON LUIS *embozado*

JUAN. ¡Jugamos a escote 2310
la vida...! Mas ¿si es quizás
un traidor que hasta mi quinta
me viene siguiendo el paso?
Hálleme, pues, por si acaso
con las armas en la cinta. 2315

(Se ciñe la espada y suspende al cinto un par de pistolas que habrá colocado sobre la mesa a su salida en la escena tercera. Al momento sale CIUTTI *conduciendo a* DON LUIS, *que, embozado hasta los ojos, espera a que se queden solos.* DON JUAN *hace a* CIUTTI *una seña para que se retire. Lo hace.)*

ESCENA VI

DON JUAN, DON LUIS

JUAN. (Buen talante.) Bien venido,
caballero.
LUIS. Bien hallado,
señor mío.
JUAN. Sin cuidado
hablad.
LUIS. Jamás lo he tenido.
JUAN. Decid, pues: ¿a qué venís 2320
a esta hora y con tal afán?
LUIS. Vengo a mataros, don Juan.
JUAN. Según eso, sois don Luis.
LUIS. No os engañó el corazón,
y el tiempo no malgastemos, 2325
don Juan: los dos no cabemos
ya en la tierra.
JUAN. En conclusión,
señor Mejía, ¿es decir,
que porque os gané la apuesta
queréis que acabe la fiesta 2330
con salirnos a batir?
LUIS. Estáis puesto en la razón:
la vida apostado habemos,
y es fuerza que nos paguemos.
JUAN. Soy de la misma opinión. 2335
Mas ved que os debo advertir
que sois vos quien la ha perdido.
LUIS. Pues por eso os la he traído;
mas no creo que morir
deba nunca un caballero 2340
que lleva en el cinto espada,

2333 *habemos:* arcaísmo, por «hemos», impuesto por la métrica.

como una res destinada
por su dueño al matadero.

JUAN. Ni yo creo que resquicio
habréis jamás encontrado 2345
por donde me hayáis tomado
por un cortador de oficio.

LUIS. De ningún modo; y ya veis
que, pues os vengo a buscar,
mucho en vos debo fiar. 2350

JUAN. No más de lo que podéis.
Y por mostraros mejor
mi generosa hidalguía,
decid si aún puedo, Mejía,
satisfacer vuestro honor. 2355
Leal la apuesta os gané;
mas si tanto os ha escocido,
mirad si halláis conocido
remedio, y le aplicaré.

LUIS. No hay más que el que os he propuesto, 2360
don Juan. Me habéis maniatado,
y habéis la casa asaltado
usurpándome mi puesto;
y pues el mío tomasteis
para triunfar de doña Ana, 2365
no sois vos, don Juan, quien gana,
porque por otro jugasteis.

JUAN. Ardides del juego son.

LUIS. Pues no os los quiero pasar,
y por ellos a jugar 2370
vamos ahora el corazón.

JUAN. ¿Le arriesgáis, pues, en revancha
de doña Ana de Pantoja?

LUIS. Sí; y lo que tardo me enoja
en lavar tan fea mancha. 2375
Don Juan, yo la amaba, sí;
mas con lo que habéis osado,

imposible la hais dejado
para vos y para mí.
JUAN. ¿Por qué la apostasteis, pues? 2380
LUIS. Porque no pude pensar
que la pudierais lograr.
Y... vamos, por San Andrés,
a reñir, que me impaciento.
JUAN. Bajemos a la ribera. 2385
LUIS. Aquí mismo.
JUAN. Necio fuera:
¿no veis que en este aposento
prendieran al vencedor?
Vos traéis una barquilla.
LUIS. Sí.
JUAN. Pues que lleve a Sevilla 2390
al que quede.
LUIS. Eso es mejor;
salgamos, pues.
JUAN. Esperad.
LUIS. ¿Qué sucede?
JUAN. Ruido siento.
LUIS. Pues no perdamos momento.

ESCENA VII

DON JUAN, DON LUIS, CIUTTI

CIUTTI. Señor, la vida salvad. 2395
JUAN. ¿Qué hay, pues?
CIUTTI. El Comendador
que llega con gente armada.
JUAN. Déjale franca la entrada,
pero a él solo.
CIUTTI. Mas, señor...

2378 *hais:* arcaísmo, por «habéis», impuesto por la métrica.

JUAN. Obedéceme.

(*Vase* CIUTTI.)

ESCENA VIII

DON JUAN, DON LUIS

JUAN. Don Luis, 2400
pues de mí os habéis fiado
cuanto dejáis demostrado
cuando a mi casa venís,
no dudaré en suplicaros,
pues mi valor conocéis, 2405
que un instante me aguardéis.
LUIS. Yo nunca puse reparos
en valor que es tan notorio,
mas no me fío de vos.
JUAN. Ved que las partes son dos 2410
de la apuesta con Tenorio,
y que ganadas están.
LUIS. ¿Lograsteis a un tiempo...?
JUAN. Sí;
la del convento está aquí:
y pues viene de don Juan 2415
a reclamarla quien puede,
cuando me podéis matar
no debo asunto dejar
tras mí que pendiente quede.
LUIS. Pero mirad que meter 2420
quien puede el lance impedir
entre los dos, puede ser...
JUAN. ¿Qué?
LUIS. Excusaros de reñir.
JUAN. ¡Miserable...! De don Juan
podéis dudar sólo vos; 2425
mas aquí entrad, ¡vive Dios!
y no tengáis tanto afán

	por vengaros, que este asunto
	arreglado con ese hombre,
	don Luis, yo os juro en mi nombre 2430
	que nos batimos al punto.
LUIS.	Pero...
JUAN.	¡Con una legión
	de diablos! Entrad aquí;
	que harta nobleza es en mí
	aun daros satisfacción. 2435
	Desde ahí ved y escuchad;
	franca tenéis esa puerta.
	Si veis mi conducta incierta,
	como os acomode obrad.
LUIS.	Me avengo, si muy reacio 2440
	no andáis.
JUAN.	Calculadlo vos
	a placer: mas, ¡vive Dios!,
	que para todo hay espacio.

(Entra DON LUIS *en el cuarto que* DON JUAN *le señala.)*

Ya suben. (DON JUAN *escucha.)*

GONZA. *(Dentro.)*
¿Dónde está?

JUAN. Él es.

ESCENA IX

DON JUAN, DON GONZALO

GONZA. ¿Adónde está ese traidor? 2445
JUAN. Aquí está, Comendador.
GONZA. ¿De rodillas?

2447 En la escena VIII del primer acto de *Don Álvaro o la fuerza del sino*, del duque de Rivas, también don Álvaro se arrodilla delante del marqués de Calatrava, padre de Leonor. Es posible una influencia de Rivas en Zorrilla.

JUAN. Y a tus pies.
GONZA. Vil eres hasta en tus crímenes.
JUAN. Anciano, la lengua ten,
y escúchame un solo instante. 2450
GONZA. ¿Qué puede en tu lengua haber
que borre lo que tu mano
escribió en este papel?
¡Ir a sorprender, ¡infame!,
la cándida sencillez 2455
de quien no pudo el veneno
de esas letras precaver!
¡Derramar en su alma virgen
traidoramente la hiel
en que rebosa la tuya, 2460
seca de virtud y fe!
¡Proponerse así enlodar
de mis timbres la alta prez,
como si fuera un harapo
que desecha un mercader! 2465
¿Ése es el valor, Tenorio,
de que blasonas? ¿Ésa es
la proverbial osadía
que te da al vulgo a temer?
¿Con viejos y con doncellas 2470
la muestras...? Y ¿para qué?
¡Vive Dios!, para venir
sus plantas así a lamer
mostrándote a un tiempo ajeno
de valor y de honradez. 2475
JUAN. ¡Comendador!
GONZA. Miserable,
tú has robado a mi hija Inés
de su convento, y yo vengo
por tu vida, o por mi bien.
JUAN. Jamás delante de un hombre 2480
mi alta cerviz incliné,

ni he suplicado jamás,
ni a mi padre, ni a mi rey.
Y pues conservo a tus plantas
la postura en que me ves, 2485
considera, don Gonzalo,
que razón debo tener.

GONZA. Lo que tienes es pavor
de mi justicia.

JUAN. ¡Pardiez!
Óyeme, Comendador, 2490
o tenerme no sabré,
y seré quien siempre he sido,
no queriéndolo ahora ser.

GONZA. ¡Vive Dios!

JUAN. Comendador,
yo idolatro a doña Inés, 2495
persuadido de que el cielo
nos la quiso conceder
para enderezar mis pasos
por el sendero del bien.
No amé la hermosura en ella, 2500
ni sus gracias adoré;
lo que adoro es la virtud,
don Gonzalo, en doña Inés.
Lo que justicias ni obispos
no pudieron de mí hacer 2505
con cárceles y sermones,
lo pudo su candidez.
Su amor me torna en otro hombre,
regenerando mi ser,
y ella puede hacer un ángel 2510
de quien un demonio fue.
Escucha, pues, don Gonzalo,
lo que te puede ofrecer
el audaz don Juan Tenorio
de rodillas a tus pies. 2515

Yo seré esclavo de tu hija,
en tu casa viviré,
tú gobernarás mi hacienda,
diciéndome: *esto ha de ser.*
El tiempo que señalares, 2520
en reclusión estaré;
cuantas pruebas exigieres
de mi audacia o mi altivez,
del modo que me ordenares
con sumisión te daré: 2525
y cuando estime tu juicio
que la puedo merecer,
yo la daré un buen esposo
y ella me dará el Edén.

GONZA. Basta, don Juan; no sé cómo 2530
me he podido contener,
oyendo tan torpes pruebas
de tu infame avilantez.
Don Juan, tú eres un cobarde
cuando en la ocasión te ves, 2535
y no hay bajeza a que no oses
como te saque con bien.

JUAN. ¡Don Gonzalo!

GONZA. Y me avergüenzo
de mirarte así a mis pies,
lo que apostabas por fuerza 2540
suplicando por merced.

JUAN. Todo así se satisface,
don Gonzalo, de una vez.

GONZA. ¡Nunca, nunca! ¿Tú su esposo?
Primero la mataré. 2545
¡Ea! Entrégamela al punto,
o sin poderme valer,

2533 *avilantez:* «Audacia, osadía, arrogancia, con que el inferior o súbdito se atreve al príncipe, o superior, se descompone contra él, y le falta al respeto» *(Diccionario de Autoridades).*

en esa postura vil
el pecho te cruzaré.

JUAN. Míralo bien, don Gonzalo; 2550
que vas a hacerme perder
con ella hasta la esperanza
de mi salvación tal vez.

GONZA. ¿Y qué tengo yo, don Juan,
con tu salvación que ver? 2555

JUAN. ¡Comendador, que me pierdes!

GONZA. Mi hija.

JUAN. Considera bien
que por cuantos medios pude
te quise satisfacer;
y que con armas al cinto 2560
tus denuestos toleré,
proponiéndote la paz
de rodillas a tus pies.

ESCENA X

DICHOS; DON LUIS, *soltando una carcajada de burla*

LUIS. Muy bien, don Juan.

JUAN. ¡Vive Dios!

GONZA. ¿Quién es ese hombre?

LUIS. Un testigo 2565
de su miedo, y un amigo,
Comendador, para vos.

JUAN. ¡Don Luis!

LUIS. Ya he visto bastante,
don Juan, para conocer
cuál uso puedes hacer 2570
de tu valor arrogante;
y quien hiere por detrás
y se humilla en la ocasión,
es tan vil como el ladrón
que roba y huye.

JUAN. ¿Esto más? 2575
LUIS. Y pues la ira soberana
de Dios junta, como ves,
al padre de doña Inés
y al vengador de doña Ana,
mira el fin que aquí te espera 2580
cuando a igual tiempo te alcanza,
aquí dentro su venganza
y la justicia allá fuera.
GONZA. ¡Oh! Ahora comprendo... ¿Sois vos
el que...?
LUIS. Soy don Luis Mejía, 2585
a quien a tiempo os envía
por vuestra venganza Dios.
JUAN. ¡Basta, pues, de tal suplicio!
Si con hacienda y honor
ni os muestro ni doy valor 2590
a mi franco sacrificio,
y la leal solicitud
con que ofrezco cuanto puedo
tomáis, ¡vive Dios!, por miedo
y os mofáis de mi virtud, 2595
os acepto el que me dais
plazo breve y perentorio,
para mostrarme el Tenorio
de cuyo valor dudáis.
LUIS. Sea; y cae a nuestros pies, 2600
digno al menos de esa fama
que por tan bravo te aclama.
JUAN. Y venza el infierno, pues.
Ulloa, pues mi alma así
vuelves a hundir en el vicio, 2605
cuando Dios me llame a juicio,
tú responderás por mí. *(Le da un pistoletazo.)*
GONZA. ¡Asesino! *(Cae.)*
JUAN. Y tú, insensato,
que me llamas vil ladrón,

di en prueba de tu razón 2610
que cara a cara te mato.
(Riñen, y le da una estocada.)
LUIS. ¡Jesús! *(Cae.)*
JUAN. Tarde tu fe ciega
acude al cielo, Mejía,
y no fue por culpa mía;
pero la justicia llega, 2615
y a fe que ha de ver quién soy.
CIUTTI. *(Dentro.)*
¿Don Juan?
JUAN. *(Asomado al balcón.)*
¿Quién es?
CIUTTI. *(Dentro.)* Por aquí;
salvaos.
JUAN. ¿Hay paso?
CIUTTI. Sí;
arrojaos.
JUAN. Allá voy.
Llamé al cielo y no me oyó, 2620
y pues sus puertas me cierra,
de mis pasos en la tierra
responda el cielo, y no yo.

(Se arroja por el balcón, y se le oye caer en el agua del río, al mismo tiempo que el ruido de los remos muestra la rapidez del barco en que parte; se oyen golpes en las puertas de la habitación; poco después entra la justicia, soldados, etc.)

ESCENA XI

ALGUACILES, SOLDADOS; *luego* DOÑA INÉS *y* BRÍGIDA

ALGUACIL 1.º El tiro ha sonado aquí.
ALGUACIL 2.º Aún hay humo.

ALGUACIL 1.º ¡Santo Dios! 2625
Aquí hay un cadáver.
ALGUACIL 2.º Dos.
ALGUACIL 1.º ¿Y el matador?
ALGUACIL 2.º Por allí.

(Abre el cuarto en que están DOÑA INÉS *y* BRÍGIDA, *y las sacan a la escena;* DOÑA INÉS *reconoce el cadáver de su padre.)*

ALGUACIL 2.º ¡Dos mujeres!
INÉS. ¡Ah, qué horror,
padre mío!
ALGUACIL 1.º ¡Es su hija!
BRÍGIDA. Sí.
INÉS. ¡Ay! ¿Dó estás, don Juan, que aquí 2630
me olvidas en tal dolor?
ALGUACIL 1.º Él le asesinó.
INÉS. ¡Dios mío!
¿Me guardabas esto más?
ALGUACIL 2.º Por aquí ese Satanás
se arrojó, sin duda, al río. 2635
ALGUACIL 1.º Miradlos..., a bordo están
del bergantín calabrés.
TODOS. ¡Justicia por doña Inés!
INÉS. Pero no contra don Juan. *(Cayendo de rodillas.)*

2639 El manuscrito añade la siguiente acotación final: «Esta escena puede suprimirse en la representación, terminando el acto con el último verso del (se entiende «de la») anterior».

PARTE SEGUNDA

ACTO PRIMERO

La sombra de doña Inés

PERSONAS

DON JUAN, CENTELLAS, AVELLANEDA, UN ESCULTOR, LA SOMBRA DE DOÑA INÉS

Panteón de la familia Tenorio. El teatro representa un magnífico cementerio, hermoseado a manera de jardín. En primer término, aislados y de bulto, los sepulcros de DON GONZALO ULLOA, *de* DOÑA INÉS *y de* DON LUIS MEJÍA, *sobre los cuales se ven sus estatuas de piedra. El sepulcro de* DON GONZALO *a la derecha, y su estatua de rodillas; el de* DON LUIS *a la izquierda, y su estatua también de rodillas; el de* DOÑA INÉS *en el centro, y su estatua de pie. En segundo término otros dos sepulcros en la forma que convenga; y en el tercer término y en puesto elevado, el sepulcro y estatua del fundador don Diego Tenorio, en cuya figura remata la perspectiva de los sepulcros. Una pared llena de nichos y lápidas circuye el cuadro hasta el horizonte. Dos llorones* * *a cada lado de la tumba de* DOÑA INÉS, *dispuestos a servir de la manera que a su tiempo exige el*

---

* *llorones:* tradicionalmente se ha interpretado como «sauces llorones», árboles frondosos cuyas ramas cuelgan hacia el suelo; pero también puede referirse a dos estatuas de «plañideras» que acompañasen a la de doña Inés.

juego escénico. Cipreses y flores de todas clases embellecen la decoración, que no debe tener nada de horrible. La acción se supone en una tranquila noche de verano, y alumbrada por una clarísima luna.

ESCENA PRIMERA

EL ESCULTOR, *disponiéndose a marchar*

ESCULTOR. Pues, señor, es cosa hecha: 2640
el alma del buen don Diego
puede, a mi ver, con sosiego
reposar muy satisfecha.
La obra está rematada
con cuanta suntuosidad 2645
su postrera voluntad
dejó al mundo encomendada.
Y ya quisieran, ¡pardiez!,
todos los ricos que mueren
que su voluntad cumplieren 2650
los vivos, como esta vez.
Mas ya de marcharme es hora:
todo corriente lo dejo,
y de Sevilla me alejo
al despuntar de la aurora. 2655
¡Ah! Mármoles que mis manos
pulieron con tanto afán,
mañana os contemplarán
los absortos sevillanos;
y al mirar de este panteón 2660
las gigantes proporciones,
tendrán las generaciones
la nuestra en veneración.
Mas yendo y viniendo días,
se hundirán unas tras otras, 2665
mientras en pie estaréis vosotras,

póstumas memorias mías.
¡Oh! frutos de mis desvelos,
peñas a quien yo animé
y por quienes arrostré 2670
la intemperie de los cielos;
el que forma y ser os dio,
va ya a perderos de vista;
¡velad mi gloria de artista,
pues viviréis más que yo! 2675
Mas ¿quién llega?

ESCENA II

EL ESCULTOR; DON JUAN, *que entra embozado*

ESCULTOR. Caballero...
JUAN. Dios le guarde.
ESCULTOR. Perdonad,
mas ya es tarde, y...
JUAN. Aguardad
un instante, porque quiero
que me expliquéis...
ESCULTOR. ¿Por acaso 2680
sois forastero?
JUAN. Años ha
que falto de España ya,
y me chocó el ver al paso,
cuando a estas verjas llegué,
que encontraba este recinto 2685
enteramente distinto
de cuando yo le dejé.
ESCULTOR. Yo lo creo; como que esto
era entonces un palacio

2677-2895 Este magnífico diálogo con el sepulturero recuerda el más famoso de *Hamlet,* de Shakespeare.

y hoy es panteón el espacio 2690
donde aquél estuvo puesto.

JUAN. ¡El palacio hecho panteón!

ESCULTOR. Tal fue de su antiguo dueño
la voluntad, y fue empeño
que dio al mundo admiración. 2695

JUAN. ¡Y, por Dios, que es de admirar!

ESCULTOR. Es una famosa historia,
a la cual debo mi gloria.

JUAN. ¿Me la podréis relatar?

ESCULTOR. Sí; aunque muy sucintamente, 2700
pues me aguardan.

JUAN. Sea.

ESCULTOR. Oíd
la pura verdad.

JUAN. Decid,
que me tenéis impaciente.

ESCULTOR. Pues habitó esta ciudad
y este palacio heredado, 2705
un varón muy estimado
por su noble calidad.

JUAN. Don Diego Tenorio.

ESCULTOR. El mismo.
Tuvo un hijo este don Diego
peor mil veces que el fuego, 2710
un aborto del abismo.
Un mozo sangriento y cruel,
que con tierra y cielo en guerra,
dicen que nada en la tierra
fue respetado por él. 2715
Quimerista, seductor
y jugador con ventura,
no hubo para él segura

2716 *quimerista:* fantasioso y pendenciero.

vida, ni hacienda, ni honor.
Así le pinta la historia, 2720
y si tal era, por cierto
que obró cuerdamente el muerto
para ganarse la gloria.

JUAN. Pues ¿cómo obró?

ESCULTOR. Dejó entera
su hacienda al que la empleara 2725
en un panteón que asombrara
a la gente venidera.
Mas con condición, que dijo
que se enterraran en él
los que a la mano cruel 2730
sucumbieron de su hijo.
Y mirad en derredor
los sepulcros de los más
de ellos.

JUAN. ¿Y vos sois quizás,
el conserje?

ESCULTOR. El escultor 2735
de estas obras encargado.

JUAN. ¡Ah! ¿Y las habéis concluido?

ESCULTOR. Ha un mes; mas me he detenido
hasta ver ese enverjado
colocado en su lugar; 2740
pues he querido impedir
que pueda el vulgo venir
este sitio a profanar.

JUAN. *(Mirando.)*
¡Bien empleó sus riquezas
el difunto!

ESCULTOR. ¡Ya lo creo! 2745
Miradle allí.

JUAN. Ya le veo.

ESCULTOR. ¿Le conocisteis?

JUAN. Sí.

ESCULTOR. Piezas
son todas muy parecidas
y a conciencia trabajadas.
JUAN. ¡Cierto que son extremadas! 2750
ESCULTOR. ¿Os han sido conocidas
las personas?
JUAN. Todas ellas.
ESCULTOR. ¿Y os parecen bien?
JUAN. Sin duda,
según lo que a ver me ayuda
el fulgor de las estrellas. 2755
ESCULTOR. ¡Oh! Se ven como de día
con esta luna tan clara.
Ésta es mármol de Carrara. *(Señalando a la de* DON LUIS.)
JUAN. ¡Buen busto es el de Mejía! *(Contempla las estatuas unas tras otras.)*
¡Hola! Aquí el Comendador 2760
se representa muy bien.
ESCULTOR. Yo quise poner también
la estatua del matador
entre sus víctimas, pero
no pude a manos haber 2765
su retrato... Un Lucifer
dicen que era el caballero
don Juan Tenorio.
JUAN. ¡Muy malo!
Mas como pudiera hablar,
le había algo de abonar 2770
la estatua de don Gonzalo.
ESCULTOR. ¿También habéis conocido
a don Juan?
JUAN. Mucho.
ESCULTOR. Don Diego
le abandonó desde luego
desheredándole.

JUAN. Ha sido 2775
para don Juan poco daño
ése, porque la fortuna
va tras él desde la cuna.
ESCULTOR. Dicen que ha muerto.
JUAN. Es engaño:
vive.
ESCULTOR. ¿Y dónde?
JUAN. Aquí, en Sevilla 2780
ESCULTOR. ¿Y no teme que el furor
popular...?
JUAN. En su valor
no ha echado el miedo semilla.
ESCULTOR. Mas cuando vea el lugar
en que está ya convertido 2785
el solar que suyo ha sido,
no osará en Sevilla estar.
JUAN. Antes ver tendrá a fortuna
en su casa reünidas
personas de él conocidas, 2790
puesto que no odia a ninguna.
ESCULTOR. ¿Creéis que ose aquí venir?
JUAN. ¿Por qué no? Pienso, a mi ver,
que donde vino a nacer
justo es que venga a morir. 2795
Y pues le quitan su herencia
para enterrar a éstos bien,
a él es muy justo también
que le entierren con decencia.
ESCULTOR. Sólo a él le está prohibida 2800
en este panteón la entrada.
JUAN. Trae don Juan muy buena espada,
y no sé quién se lo impida.
ESCULTOR. ¡Jesús! ¡Tal profanación!
JUAN. Hombre es don Juan que, a querer, 2805
volverá el palacio a hacer
encima del panteón.

ESCULTOR. ¿Tan audaz ese hombre es
que aun a los muertos se atreve?
JUAN. ¿Qué respetos gastar debe 2810
con los que tendió a sus pies?
ESCULTOR. ¿Pero no tiene conciencia
ni alma ese hombre?
JUAN. Tal vez no,
que al cielo una vez llamó
con voces de penitencia, 2815
y el cielo, en trance tan fuerte,
allí mismo le metió,
que a dos inocentes dio,
para salvarse, la muerte.
ESCULTOR. ¡Qué monstruo, supremo Dios! 2820
JUAN. Podéis estar convencido
de que Dios no le ha querido.
ESCULTOR. Tal será.
JUAN. Mejor que vos.
ESCULTOR. (¿Y quién será el que a don Juan
abona con tanto brío?) 2825
Caballero, a pesar mío,
como aguardándome están...
JUAN. Idos, pues, enhorabuena.
ESCULTOR. He de cerrar.
JUAN. No cerréis
y marchaos.
ESCULTOR. ¿Mas no veis...? 2830
JUAN. Veo una noche serena
y un lugar que me acomoda
para gozar su frescura,
y aquí he de estar a mi holgura,
si pesa a Sevilla toda. 2835
ESCULTOR. (¿Si acaso padecerá
de locura desvaríos?)

2825 *abona:* justifica, defiende.

JUAN. *(Dirigiéndose a las estatuas.)*
Ya estoy aquí, amigos míos.
ESCULTOR. ¿No lo dije? Loco está.
JUAN. Mas, ¡cielos, qué es lo que veo! 2840
O es ilusión de mi vista,
o a doña Inés el artista
aquí representa, creo.
ESCULTOR. Sin duda.
JUAN. ¿También murió?
ESCULTOR. Dicen que de sentimiento 2845
cuando de nuevo al convento
abandonada volvió
por don Juan.
JUAN. ¿Y yace aquí?
ESCULTOR. Sí.
JUAN. ¿La visteis muerta vos?
ESCULTOR. Sí.
JUAN. ¿Cómo estaba?
ESCULTOR. ¡Por Dios, 2850
que dormida la creí!
La muerte fue tan piadosa
con su cándida hermosura,
que la envió con la frescura
y las tintas de la rosa. 2855
JUAN. ¡Ah! Mal la muerte podría
deshacer con torpe mano
el semblante soberano
que un ángel envidiaría.
¡Cuán bella y cuán parecida 2860
su efigie en el mármol es!
¡Quién pudiera, doña Inés,
volver a darte la vida!
¿Es obra del cincel vuestro?
ESCULTOR. Como todas las demás. 2865
JUAN. Pues bien merece algo más
un retrato tan maestro.
Tomad.

ESCULTOR. ¿Qué me dais aquí?
JUAN. ¿No lo veis?
ESCULTOR. Mas..., caballero,
¿por qué razón...?
JUAN. Porque quiero 2870
yo que os acordéis de mí.
ESCULTOR. Mirad que están bien pagadas.
JUAN. Así lo estarán mejor.
ESCULTOR. Mas vamos de aquí, señor,
que aún las llaves entregadas 2875
no están, y al salir la aurora
tengo que partir de aquí.
JUAN. Entregádmelas a mí,
y marchaos desde ahora.
ESCULTOR. ¿A vos?
JUAN. A mí: ¿qué dudáis? 2880
ESCULTOR. Como no tengo el honor...
JUAN. Ea, acabad, escultor.
ESCULTOR. Si el nombre al menos que usáis
supiera...
JUAN. ¡Viven los cielos!
Dejad a don Juan Tenorio 2885
velar el lecho mortuorio
en que duermen sus abuelos.
ESCULTOR. ¡Don Juan Tenorio!
JUAN. Yo soy.
Y si no me satisfaces,
compañía juro que haces 2890
a tus estatuas desde hoy.
ESCULTOR. *(Alargándole las llaves.)*
Tomad. (No quiero la piel
dejar aquí entre sus manos.
Ahora, que los sevillanos
se las compongan con él.) *(Vase.)* 2895

ESCENA III

DON JUAN

Mi buen padre empleó en esto
entera la hacienda mía;
hizo bien: yo al otro día
la hubiera a una carta puesto.
No os podéis quejar de mí, 2900
vosotros a quien maté;
si buena vida os quité,
buena sepultura os di.
¡Magnífica es, en verdad,
la idea de tal panteón! 2905
Y... siento que el corazón
me halaga esta soledad.
¡Hermosa noche...! ¡Ay de mí!
¡Cuántas como ésta tan puras,
en infames aventuras 2910
desatinado perdí!
¡Cuántas, al mismo fulgor
de esa luna transparente,
arranqué a algún inocente
la existencia o el honor! 2915
Sí, después de tantos años
cuyos recuerdos me espantan,
siento que en mí se levantan
pensamientos en mí extraños.
¡Oh! Acaso me los inspira 2920
desde el cielo, en donde mora,
esa sombra protectora
que por mi mal no respira.
(Se dirige a la estatua de DOÑA INÉS, *hablándola con respeto.)*

2899 La hubiera apostado, me la hubiera jugado a las cartas.

Mármol en quien doña Inés
en cuerpo sin alma existe, 2925
deja que el alma de un triste
llore un momento a tus pies.
De azares mil a través
conservé tu imagen pura,
y pues la mala ventura 2930
te asesinó de don Juan,
contempla con cuánto afán
vendrá hoy a tu sepultura.
En ti nada más pensó
desde que se fue de ti; 2935
y desde que huyó de aquí,
sólo en volver meditó.
Don Juan tan sólo esperó
de doña Inés su ventura,
y hoy, que en pos de su hermosura 2940
vuelve el infeliz don Juan,
mira cuál será su afán
al dar con tu sepultura.
Inocente doña Inés,
cuya hermosa juventud 2945
encerró en el ataúd
quien llorando está a tus pies;
si de esa piedra a través
puedes mirar la amargura
del alma que tu hermosura 2950
adoró con tanto afán,
prepara un lado a don Juan
en tu misma sepultura.
Dios te crió por mi bien,
por ti pensé en la virtud, 2955
adoré su excelsitud,
y anhelé su santo Edén.
Sí; aun hoy mismo en ti también

mi esperanza se asegura,
que oigo una voz que murmura 2960
en derredor de don Juan
palabras con que su afán
se calma en tu sepultura.
¡Oh, doña Inés de mi vida!
Si esa voz con quien deliro 2965
es el postrimer suspiro
de tu eterna despedida;
si es que de ti desprendida
llega esa voz a la altura,
y hay un Dios tras esa anchura 2970
por donde los astros van,
dile que mire a don Juan
llorando en tu sepultura.
(Se apoya en el sepulcro, ocultando el rostro; y mientras se conserva en esta postura, un vapor que se levanta del sepulcro oculta la estatua de DOÑA INÉS. *Cuando el vapor se desvanece, la estatua ha desaparecido.* DON JUAN *sale de su enajenamiento.)*
Este mármol sepulcral
adormece mi vigor, 2975
y sentir creo en redor
un ser sobrenatural.
Mas..., ¡cielos! ¡El pedestal
no mantiene su escultura!
¿Qué es esto? ¿Aquella figura 2980
fue creación de mi afán?

2976 *en redor:* alrededor.

ESCENA IV

DON JUAN, LA SOMBRA DE DOÑA INÉS

(El llorón y las flores de la izquierda del sepulcro de DOÑA INÉS *se cambian en una apariencia, dejando ver dentro de ella, y en medio de resplandores,* LA SOMBRA *de* DOÑA INÉS.)

SOMBRA. No; mi espíritu, don Juan,
te aguardó en mi sepultura.
JUAN. *(De rodillas.)*
¡Doña Inés! Sombra querida,
alma de mi corazón, 2985
¡no me quites la razón
si me has de dejar la vida!
Si eres imagen fingida,
sólo hija de mi locura,
no aumentes mi desventura 2990
burlando mi loco afán.
SOMBRA. Yo soy doña Inés, don Juan,
que te oyó en su sepultura.
JUAN. ¿Conque vives?
SOMBRA. Para ti;
mas tengo mi purgatorio 2995
en ese mármol mortuorio
que labraron para mí.
Yo a Dios mi alma ofrecí
en precio de tu alma impura,
y Dios, al ver la ternura 3000
con que te amaba mi afán,
me dijo: «Espera a don Juan
en tu misma sepultura.
Y pues quieres ser tan fiel
a un amor de Satanás, 3005

con don Juan te salvarás,
o te perderás con él.
Por él vela: mas si cruel
te desprecia tu ternura,
y en su torpeza y locura 3010
sigue con bárbaro afán,
llévese tu alma don Juan
de tu misma sepultura».

JUAN. *(Fascinado.)*
¡Yo estoy soñando quizás
con las sombras de un Edén! 3015

SOMBRA. No; y ve que si piensas bien,
a tu lado me tendrás;
mas si obras mal, causarás
nuestra eterna desventura.
Y medita con cordura 3020
que es esta noche, don Juan,
el espacio que nos dan
para buscar sepultura.
Adiós, pues; y en la ardua lucha
en que va a entrar tu existencia, 3025
de tu dormida conciencia
la voz que va a alzarse escucha;
porque es de importancia mucha
meditar con sumo tiento
la elección de aquel momento 3030
que, sin poder evadirnos,
al mal o al bien ha de abrirnos
la losa del monumento.

(Ciérrase la apariencia; desaparece DOÑA INÉS, *y todo queda como al principio del acto, menos la estatua de* DOÑA INÉS *que no vuelve a su lugar.* DON JUAN *queda atónito.)*

ESCENA V

DON JUAN

JUAN. ¡Cielos! ¿Qué es lo que escuché?
¡Hasta los muertos así 3035
dejan sus tumbas por mí!
Mas sombra, delirio fue.
Yo en mi mente la forjé;
la imaginación le dio
la forma en que se mostró, 3040
y ciego vine a creer
en la realidad de un ser
que mi mente fabricó.
Mas nunca de modo tal
fanatizó mi razón 3045
mi loca imaginación
con su poder ideal.
Sí, algo sobrenatural
vi en aquella doña Inés
tan vaporosa, a través 3050
aun de esa enramada espesa;
mas... ¡bah!, circunstancia es ésa
que propia de sombras es.
¿Qué más diáfano y sutil
que la quimera de un sueño? 3055
¿Dónde hay nada más risueño,
más flexible y más gentil?
¿Y no pasa veces mil
que, en febril exaltación,
ve nuestra imaginación 3060
como ser y realidad
la vacía vanidad
de una anhelada ilusión?
¡Sí, por Dios, delirio fue!
Mas su estatua estaba aquí. 3065

Sí, yo la vi y la toqué,
y aun en albricias le di *
al escultor no sé qué.
¡Y ahora sólo el pedestal
veo en la urna funeral! 3070
¡Cielos! La mente me falta,
o de improviso me asalta
algún vértigo infernal.
¿Qué dijo aquella visión?
¡Oh! Yo lo oí claramente, 3075
y su voz triste y doliente
resonó en mi corazón.
¡Ah! ¡Y breves las horas son
del plazo que nos augura!
No, no; ¡de mi calentura 3080
delirio insensato es!
Mi fiebre fue a doña Inés
quien abrió la sepultura.
¡Pasad y desvaneceos;
pasad, siniestros vapores 3085
de mis perdidos amores
y mis fallidos deseos!
¡Pasad, vamos devaneos
de un amor muerto al nacer;
no me volváis a traer 3090
entre vuestro torbellino,
ese fantasma divino
que recuerda una mujer!
¡Ah! ¡Estos sueños me aniquilan,
mi cerebro se enloquece... 3095
y esos mármoles parece
que estremecidos vacilan!
(Las estatuas se mueven lentamente y vuelven la cabeza hacia él.)

3067 *albricias:* regalos.

Sí, sí; ¡sus bustos oscilan,
su vago contorno medra...!
Pero don Juan no se arredra: 3100
¡alzaos, fantasmas vanos,
y os volveré con mis manos
a vuestros lechos de piedra!
No, no me causan pavor
vuestros semblantes esquivos;
jamás, ni muertos ni vivos,
humillaréis mi valor.
Yo soy vuestro matador
como al mundo es bien notorio;
si en vuestro alcázar mortuorio 3110
me aprestáis venganza fiera,
daos prisa; aquí os espera
otra vez don Juan Tenorio.

ESCENA VI

DON JUAN, EL CAPITÁN CENTELLAS, AVELLANEDA

CENTE. *(Dentro.)*
¿Don Juan Tenorio?
JUAN. *(Volviendo en sí.)*
¿Qué es eso?
¿Quién me repite mi nombre? 3115
AVELLA. *(Saliendo.)*
¿Veis a alguien? *(A* CENTELLAS.*)*
CENTE. *(Ídem.)*
Sí, allí hay un hombre.
JUAN. ¿Quién va?
AVELLA. Él es.

3099 *medra:* crece, aumenta.

CENTE. *(Yéndose a* DON JUAN.)
Yo pierdo el seso
con la alegría. ¡Don Juan!
AVELLA. ¡Señor Tenorio!
JUAN. ¡Apartaos,
vanas sombras!
CENTE. Reportaos, 3120
señor don Juan... Los que están
en vuestra presencia ahora,
no son sombras, hombres son,
y hombres cuyo corazón
vuestra amistad atesora. 3125
A la luz de las estrellas
os hemos reconocido,
y un abrazo hemos venido
a daros.
JUAN. Gracias, Centellas.
CENTE. Mas ¿qué tenéis? ¡Por mi vida 3130
que os tiembla el brazo, y está
vuestra faz descolorida!
JUAN. *(Recobrando su aplomo.)*
La luna tal vez lo hará.
AVELLA. Mas, don Juan, ¿qué hacéis aquí?
¿Este sitio conocéis? 3135
JUAN. ¿No es un panteón?
CENTE. ¿Y sabéis
a quién pertenece?
JUAN. A mí:
mirad a mi alrededor,
y no veréis más que amigos
de mi niñez, o testigos 3140
de mi audacia y mi valor.
CENTE. Pero os oímos hablar:
¿con quién estabais?
JUAN. Con ellos.

CENTE. ¿Venís aún a escarnecellos?
JUAN. No, los vengo a visitar. 3145
Mas un vértigo insensato
que la mente me asaltó,
un momento me turbó;
y a fe que me dio mal rato.
Esos fantasmas de piedra 3150
me amenazaban tan fieros,
que a mí acercado a no haberos
pronto...
CENTE. ¡Ja!, ¡ja!, ¡ja! ¿Os arredra,
don Juan, como a los villanos,
el temor de los difuntos? 3155
JUAN. No a fe; contra todos juntos
tengo aliento y tengo manos.
Si volvieran a salir
de las tumbas en que están,
a las manos de don Juan 3160
volverían a morir.
Y desde aquí en adelante
sabed, señor capitán,
que yo soy siempre don Juan,
y no hay cosa que me espante. 3165
Un vapor calenturiento
un punto me fascinó,
Centellas, mas ya pasó:
cualquiera duda un momento.
AVELLA. }
CENTE. } Es verdad.
JUAN. Vamos de aquí. 3170
CENTE. Vamos, y nos contaréis
cómo a Sevilla volvéis
tercera vez.

3144 *escarnecellos:* arcaísmo por «escarnecerlos», ofenderlos.

JUAN. Lo haré así,
si mi historia os interesa:
y a fe que oírse merece, 3175
aunque mejor me parece
que la oigáis de sobremesa.
¿No opináis...?

AVELLA. / CENTE. Como gustéis.

JUAN. Pues bien: cenaréis conmigo
y en mi casa.

CENTE. Pero digo, 3180
¿es cosa de que dejéis
algún huésped por nosotros?
¿No tenéis gato encerrado?

JUAN. ¡Bah! Si apenas he llegado:
no habrá allí más que vosotros 3185
esta noche.

CENTE. ¿Y no hay tapada
a quien algún plantón demos?

JUAN. Los tres solos cenaremos.
Digo, si de esta jornada
no quiere igualmente ser 3190
alguno de éstos. *(Señalando a las estatuas de los sepulcros.)*

CENTE. Don Juan,
dejad tranquilos yacer
a los que con Dios están.

JUAN. ¡Hola! ¿Parece que vos
sois ahora el que teméis, 3195
y mala cara ponéis
a los muertos? Mas, ¡por Dios
que ya que de mí os burlasteis
cuando me visteis así,

3186 *tapada:* mujer embozada o escondida. Se refiere a los amoríos secretos de don Juan.

en lo que penda de mí 3200
os mostraré cuánto errasteis!
Por mí, pues, no ha de quedar:
y a poder ser, estad ciertos
que cenaréis con los muertos,
y os los voy a convidar. 3205

AVELLA. Dejaos de esas quimeras.

JUAN. ¿Duda en mi valor ponerme,
cuando hombre soy para hacerme
platos de sus calaveras?
Yo, a nada tengo pavor. *(Dirigiéndose a* LA ESTATUA *de* DON GONZALO, *que es la que tiene más cerca.)* 3210
Tú eres el más ofendido;
mas si quieres, te convido
a cenar, Comendador.
Que no lo puedas hacer
creo, y es lo que me pesa; 3215
mas, por mi parte, en la mesa
te haré un cubierto poner.
Y a fe que favor me harás,
pues podré saber de ti
si hay más mundo que el de aquí, 3220
y otra vida, en que jamás,
a decir verdad, creí.

CENTE. Don Juan, eso no es valor;
locura, delirio es.

JUAN. Como lo juzguéis mejor: 3225
yo cumplo así. Vamos, pues.
Lo dicho, Comendador.

3200 *penda:* dependa.

ACTO SEGUNDO

La estatua de don Gonzalo

PERSONAS

DON JUAN, CENTELLAS, AVELLANEDA, LA SOMBRA DE DOÑA INÉS, LA ESTATUA DE DON GONZALO, UN PAJE

Aposento de DON JUAN TENORIO. *Dos puertas en el fondo a derecha e izquierda, preparadas para el juego escénico del acto. Otra puerta en el bastidor que cierra la decoración por la izquierda. Ventana en el de la derecha. Al alzarse el telón están sentados a la mesa* DON JUAN, CENTELLAS *y* AVELLANEDA. *La mesa ricamente servida: el mantel cogido con guirnaldas de flores, etc. En frente del espectador,* DON JUAN, *y a su izquierda* AVELLANEDA; *en el lado izquierdo de la mesa,* CENTELLAS, *y en el de enfrente de éste una silla y un cubierto desocupados.*

ESCENA PRIMERA

DON JUAN, EL CAPITÁN CENTELLAS, AVELLANEDA, CIUTTI, UN PAJE

JUAN. Tal es mi historia, señores:
pagado de mi valor,

quiso el mismo emperador 3230
dispensarme sus favores.
Y aunque oyó mi historia entera,
dijo: «Hombre de tanto brío
merece el amparo mío;
vuelva a España cuando quiera». 3235
Y heme aquí en Sevilla ya.

CENTE. ¡Y con qué lujo y riqueza!

JUAN. Siempre vive con grandeza
quien hecho a grandeza está.

CENTE. A vuestra vuelta.

JUAN. Bebamos. 3240

CENTE. Lo que no acierto a creer
es cómo, llegando ayer,
ya establecido os hallamos.

JUAN. Fue el adquirirme, señores,
tal casa con tal boato 3245
porque se vendió a barato
para pago de acreedores.
Y como al llegar aquí
desheredado me hallé,
tal como está la compré. 3250

CENTE. ¿Amueblada y todo?

JUAN. Sí.
Un necio que se arruinó
por una mujer, vendióla.

CENTE. ¿Y vendió la hacienda sola?

JUAN. Y el alma al diablo.

CENTE. ¿Murió? 3255

JUAN. De repente; y la justicia,
que iba a hacer de cualquier modo
pronto despacho de todo,

3230 Se refiere al emperador Carlos V.
3245 *boato:* ostentación, riqueza.
3246 *a barato:* a bajo precio.

viendo que yo su codicia
saciaba, pues los dineros 3260
ofrecía dar al punto,
cedióme el caudal por junto
y estafó a los usureros.

CENTE. Y la mujer, ¿qué fue de ella?

JUAN. Un escribano la pista 3265
la siguió, pero fue lista
y escapó.

CENTE. ¿Moza?

JUAN. Y muy bella.

CENTE. Entrar hubiera debido
en los muebles de la casa.

JUAN. Don Juan Tenorio no pasa 3270
moneda que se ha perdido.
Casa y bodega he comprado,
dos cosas que, no os asombre,
pueden bien hacer a un hombre
vivir siempre acompañado; 3275
como lo puede mostrar
vuestra agradable presencia,
que espero que con frecuencia
me hagáis ambos disfrutar.

CENTE. Y nos haréis honra inmensa. 3280

JUAN. Y a mí vos. ¡Ciutti!

CIUTTI. ¿Señor?

JUAN. Pon vino al Comendador. *(Señalando el vaso del puesto vacío.)*

AVELLA. Don Juan, ¿aún en eso piensa
vuestra locura?

JUAN. ¡Sí, a fe!
Que si él no puede venir, 3285
de mí no podréis decir
que en ausencia no le honré.

CENTE. ¡Ja, ja, ja! Señor Tenorio,
creo que vuestra cabeza
va menguando en fortaleza. 3290

JUAN. Fuera en mí contradictorio,
y ajeno de mi hidalguía,
a un amigo convidar
y no guardarle el lugar
mientras que llegar podría. 3295
Tal ha sido mi costumbre
siempre, y siempre ha de ser ésa;
y el mirar sin él la mesa
me da, en verdad, pesadumbre.
Porque si el Comendador 3300
es, difunto, tan tenaz
como vivo, es muy capaz
de seguirnos el humor.
CENTE. Brindemos a su memoria,
y más en él no pensemos. 3305
JUAN. Sea.
CENTE. Brindemos.
AVELLA.
JUAN. } Brindemos.
CENTE. A que Dios le dé su gloria.
JUAN. Mas yo, que no creo que haya
más gloria que esta mortal,
no hago mucho en brindis tal; 3310
mas por complaceros, ¡vaya!
Y brindo a Dios que te dé
la gloria, Comendador.
(Mientras beben se oye lejos un aldabonazo[*]*, que se supone dado en la puerta de la calle.)*
Mas ¿llamaron?
CIUTTI. Sí, señor.
JUAN. Ve quién.
CIUTTI. *(Asomando por la ventana.)*
A nadie se ve. 3315
¿Quién va allá? Nadie responde.

---

* *aldabonazo:* golpe dado con la aldaba en la puerta. La aldaba es una pieza de hierro o bronce que se pone en la puerta para llamar.

CENTE. Algún chusco.
AVELLA. Algún menguado
que al pasar habrá llamado
sin mirar siquiera dónde.
JUAN. (*A* CIUTTI.)
Pues cierra y sirve licor. 3320
(Llaman otra vez más recio.)
Mas ¿llamaron otra vez?
CIUTTI. Sí.
JUAN. Vuelve a mirar.
CIUTTI. ¡Pardiez!
A nadie veo, señor.
JUAN. ¡Pues, por Dios, que del bromazo
quien es no se ha de alabar! 3325
Ciutti, si vuelve a llamar
suéltale un pistoletazo.
(Llaman otra vez, y se oye un poco más cerca.)
¿Otra vez?
CIUTTI. ¡Cielos!
AVELLA. }
CENTE. } ¿Qué pasa?
CIUTTI. Que esa aldabada postrera
ha sonado en la escalera, 3330
no en la puerta de la casa.
CENTE. }
AVELLA. } ¿Qué dices? *(Levantándose asombrados.)*
CIUTTI. Digo lo cierto
nada más: dentro han llamado
de la casa.
JUAN. ¿Qué os ha dado?
¿Pensáis ya que sea el muerto? 3335
Mis armas cargué con bala;

3317 *chusco:* pícaro, gracioso.
3317 *menguado:* loco, falto de juicio.

Ciutti, sal a ver quién es.
(Vuelven a llamar más cerca.)
AVELLA. ¿Oísteis?
CIUTTI. ¡Por San Ginés,
que eso ha sido en la antesala!
JUAN. ¡Ah! Ya lo entiendo; me habéis 3340
vosotros mismos dispuesto
esta comedia, supuesto
que lo del muerto sabéis.
AVELLA. Yo os juro, don Juan...
CENTE. Y yo.
JUAN. ¡Bah! Diera en ello el más topo, 3345
y apuesto a que ese galopo
los medios para ello dio.
AVELLA. Señor don Juan, escondido
algún misterio hay aquí.
(Vuelven a llamar más cerca.)
CENTE. ¡Llamaron otra vez!
CIUTTI. Sí; 3350
y ya en el salón ha sido.
JUAN. ¡Ya! Mis llaves en manojo
habréis dado a la fantasma,
y que entre así no me pasma;
mas no saldrá a vuestro antojo, 3355
ni me han de impedir cenar
vuestras farsas desdichadas. *(Se levanta, y corre los cerrojos de las puertas del fondo, volviendo a su lugar.)*
Ya están las puertas cerradas;
ahora el coco, para entrar,
tendrá que echarlas al suelo, 3360
y en el punto que lo intente,

3346 *galopo:* golfo, muchacho desharrapado. Se refiere a Ciutti.
3353 *la fantasma:* hasta bien entrado el siglo XVIII, «fantasma» era femenino; pero en la época de Zorrilla apenas vacilaba ya, tendiendo al masculino.

que con los muertos se cuente,
y apele después al cielo.

CENTE. ¡Qué diablos! Tenéis razón.

JUAN. ¿Pues no temblabais?

CENTE. Confieso 3365
que en tanto que no di en eso,
tuve un poco de aprensión.

JUAN. ¿Declaráis, pues, vuestro enredo?

AVELLA. Por mi parte, nada sé.

CENTE. Ni yo.

JUAN. Pues yo volveré 3370
contra el inventor el miedo.
Mas sigamos con la cena;
vuelva cada uno a su puesto,
que luego sabremos de esto.

AVELLA. Tenéis razón.

JUAN. *(Sirviendo a* CENTELLAS.)
Cariñena: 3375
sé que os gusta, capitán.

CENTE. Como que somos paisanos.

JUAN. *(A* AVELLANEDA, *sirviéndole de otra botella.)*
Jerez a los sevillanos,
don Rafael.

AVELLA. Habéis, don Juan,
dado a entrambos por el gusto; 3380
¿mas con cuál brindaréis vos?

JUAN. Yo haré justicia a los dos.

CENTE. Vos siempre estáis en lo justo.

JUAN. Sí, a fe; bebamos.

AVELLA. }
CENTE. } Bebamos.

(Llaman a la misma puerta de la escena, fondo derecha.)

3375 *Cariñena:* un tipo de vino de la provincia de Zaragoza.

JUAN. Pesada me es ya la broma, 3385
mas veremos quién asoma
mientras en la mesa estamos.
(A CIUTTI, *que se manifiesta asombrado.)*
¿Y qué haces tú ahí, bergante?
¡Listo! Trae otro manjar;
(Vase CIUTTI.)
mas me ocurre en este instante 3390
que nos podemos mofar
de los de afuera, invitándoles
a probar su sutileza,
entrándose hasta esta pieza
y sus puertas no franqueándoles. 3395
AVELLA. Bien dicho.
CENTE. Idea brillante.
(Llaman fuerte, fondo derecha.)
JUAN. ¡Señores! ¿A qué llamar?
Los muertos se han de filtrar
por la pared; adelante.

(La ESTATUA DE DON GONZALO *pasa por la puerta sin abrirla, y sin hacer ruido.)*

ESCENA II

DON JUAN, CENTELLAS, AVELLANEDA, LA ESTATUA DE DON GONZALO

CENTE. ¡Jesús!
AVELLA. ¡Dios mío!
JUAN. ¡Qué es esto! 3400
AVELLA. Yo desfallezco. *(Cae desvanecido.)*
CENTE. Yo expiro. *(Cae lo mismo.)*
JUAN. ¡Es realidad, o delirio!
Es su figura..., su gesto.
ESTATUA. ¿Por qué te causa pavor
quien convidado a tu mesa 3405
viene por ti?

JUAN. ¡Dios! ¿No es ésa
la voz del Comendador?
ESTATUA. Siempre supuse que aquí
no me habías de esperar.
JUAN. Mientes, porque hice arrimar 3410
esa silla para ti.
Llega, pues, para que veas
que aunque dudé en un extremo
de sorpresa, no te temo,
aunque el mismo Ulloa seas. 3415
ESTATUA. ¿Aún lo dudas?
JUAN. No lo sé.
ESTATUA. Pon, si quieres, hombre impío,
tu mano en el mármol frío
de mi estatua.
JUAN. ¿Para qué?
Me basta oírlo de ti; 3420
cenemos, pues; mas te advierto...
ESTATUA. ¿Qué?
JUAN. Que si no eres el muerto,
no vas a salir de aquí.
¡Eh! Alzad. *(A* CENTELLAS *y* AVELLANEDA.)
ESTATUA. No pienses, no,
que se levanten, don Juan; 3425
porque en sí no volverán
hasta que me ausente yo.
Que la divina clemencia
del Señor para contigo,
no requiere más testigo 3430
que tu juicio y tu conciencia.
Al sacrílego convite
que me has hecho en el panteón,
para alumbrar tu razón
Dios asistir me permite. 3435
Y heme que vengo en su nombre
a enseñarte la verdad;

y es: que hay una eternidad
tras de la vida del hombre.
Que numerados están 3440
los días que has de vivir,
y que tienes que morir
mañana mismo, don Juan.
Mas como esto que a tus ojos
está pasando, supones 3445
ser del alma aberraciones
y de la aprensión antojos,
Dios, en su santa clemencia,
te concede todavía,
don Juan, hasta el nuevo día 3450
para ordenar tu conciencia.
Y su justicia infinita
porque conozcas mejor,
espero de tu valor
que me pagues la visita. 3455
¿Irás, don Juan?

JUAN. Iré, sí;
mas me quiero convencer
de lo vago de tu ser
antes que salgas de aquí. *(Coge una pistola.)*

ESTATUA. Tu necio orgullo delira, 3460
don Juan; los hierros más gruesos
y los muros más espesos
se abren a mi paso: mira. *(Desaparece* LA ESTATUA *sumiéndose por la pared.)*

ESCENA III

DON JUAN, AVELLANEDA, CENTELLAS

JUAN. ¡Cielos! ¡Su esencia se trueca,
el muro hasta penetrar, 3465
cual mancha de agua que seca

el ardor canicular!
¿No me dijo: «El mármol toca
de mi estatua»? ¿Cómo, pues,
se desvanece una roca? 3470
¡Imposible! Ilusión es.
Acaso su antiguo dueño
mis cubas envenenó,
y el licor tan vano ensueño
en mi mente levantó. 3475
¡Mas si éstas que sombras creo
espíritus reales son,
que por celestial empleo
llaman a mi corazón!,
entonces, para que iguale 3480
su penitencia don Juan
con sus delitos, ¿qué vale
el plazo ruin que le dan?
¡Dios me da tan sólo un día...!
Si fuese Dios en verdad, 3485
a más distancia pondría
su aviso y mi eternidad.
«Piensa bien que al lado tuyo
me tendrás...», dijo de Inés
la sombra, y si bien arguyo, 3490
pues no la veo, sueño es.

(Transparéntase en la pared LA SOMBRA DE DOÑA INÉS.)

ESCENA IV

DON JUAN, LA SOMBRA DE DOÑA INÉS; CENTELLAS *y* AVELLANEDA, *dormidos*

SOMBRA. Aquí estoy.
JUAN. ¡Cielos!
SOMBRA. Medita

lo que al buen Comendador
has oído, y ten valor
para acudir a su cita. 3495
Un punto se necesita
para morir con ventura;
elígele con cordura,
porque mañana, don Juan,
nuestros cuerpos dormirán 3500
en la misma sepultura.
(Desaparece LA SOMBRA.)

ESCENA V

DON JUAN, CENTELLAS, AVELLANEDA

JUAN. Tente, doña Inés, espera;
y si me amas en verdad,
hazme al fin la realidad
distinguir de la quimera. 3505
Alguna más duradera
señal dame, que segura
me pruebe que no es locura
lo que imagina mi afán,
para que baje don Juan 3510
tranquilo a la sepultura.
Mas ya me irrita, por Dios,
el verme siempre burlado,
corriendo desatentado
siempre de sombras en pos. 3515
¡Oh! Tal vez todo esto ha sido
por estos dos preparado,
y mientras se ha ejecutado,
su privación han fingido.

3514 *desatentado:* alocadamente, sin orden ni concierto.

Mas, por Dios, que si es así, 3520
se han de acordar de don Juan.
¡Eh!, don Rafael, capitán.
Ya basta: alzaos de ahí. (DON JUAN *mueve a* CENTELLAS *y a* AVELLANEDA, *que se levantan como quien vuelve de un profundo sueño.)*

CENTE. ¿Quién va?

JUAN. Levantad.

AVELLA. ¿Qué pasa?
¡Hola, sois vos!

CENTE. ¿Dónde estamos? 3525

JUAN. Caballeros, claros vamos.
Yo os he traído a mi casa,
y temo que a ella al venir,
con artificio apostado
habéis, sin duda, pensado, 3530
a costa mía reír:
mas basta ya de ficción,
y concluid de una vez.

CENTE. Yo no os entiendo.

AVELLA. ¡Pardiez!
Tampoco yo.

JUAN. En conclusión, 3535
¿nada habéis visto ni oído?

CENTE.
AVELLA. } ¿De qué?

JUAN. No finjáis ya más.

CENTE. Yo no he fingido jamás,
señor don Juan.

JUAN. ¡Habrá sido
realidad! ¿Contra Tenorio 3540
las piedras se han animado,
y su vida han acotado
con plazo tan perentorio?
Hablad, pues, por compasión.

CENTE. ¡Voto va Dios! ¡Ya comprendo 3545
lo que pretendéis!
JUAN. Pretendo
que me deis una razón
de lo que ha pasado aquí,
señores, o juro a Dios
que os haré ver a los dos 3550
que no hay quien me burle a mí.
CENTE. Pues ya que os formalizáis,
don Juan, sabed que sospecho
que vos la burla habéis hecho
de nosotros.
JUAN. ¡Me insultáis! 3555
CENTE. No, por Dios; mas si cerrado
seguís en que aquí han venido
fantasmas, lo sucedido
oíd cómo me he explicado.
Yo he perdido aquí del todo 3560
los sentidos, sin exceso
de ninguna especie, y eso
lo entiendo yo de este modo.
JUAN. A ver, decídmelo, pues.
CENTE. Vos habéis compuesto el vino, 3565
semejante desatino
para encajarnos después.
JUAN. ¡Centellas!
CENTE. Vuestro valor
al extremo por mostrar,
convidasteis a cenar 3570
con vos al Comendador.
Y para poder decir
que a vuestro convite exótico
asistió, con un narcótico

3545 *¡Voto va Dios!:* Se emplea así por necesidad métrica, en lugar del más usual «voto a Dios».

nos habéis hecho dormir. 3575
Si es broma, puede pasar;
mas a ese extremo llevada,
ni puede probaros nada,
ni os la hemos de tolerar.

AVELLA. Soy de la misma opinión. 3580
JUAN. ¡Mentís!
CENTE. Vos.
JUAN. Vos, capitán.
CENTE. Esa palabra, don Juan...
JUAN. La he dicho de corazón.
Mentís; no son a mis bríos
menester falsos portentos, 3585
porque tienen mis alientos
su mejor prueba en ser míos.

AVELLA. / CENTE. Veamos. *(Ponen mano a las espadas.)*
JUAN. Poned a tasa
vuestra furia, y vamos fuera,
no piense después cualquiera 3590
que os asesiné en mi casa.

AVELLA. Decís bien..., mas somos dos.
CENTE. Reñiremos, si os fiáis,
el uno del otro en pos.
JUAN. O los dos, como queráis. 3595
CENTE. ¡Villano fuera, por Dios!
Elegid uno, don Juan,
por primero.
JUAN. Sedlo vos.
CENTE. Vamos.
JUAN. Vamos, capitán.

ACTO TERCERO

Misericordia de Dios, y apoteosis del Amor

PERSONAS

DON JUAN, DOÑA INÉS, LA ESTATUA DE DON GONZALO, SOMBRAS, ESTATUAS, ESPECTROS, ÁNGELES

Panteón de la familia Tenorio. Como estaba en el acto primero de la Segunda Parte, menos las estatuas de DOÑA INÉS *y de* DON GONZALO, *que no están en su lugar.*

ESCENA PRIMERA

DON JUAN, *embozado y distraído, entra en la escena lentamente*

JUAN. Culpa mía no fue; delirio insano 3600
me enajenó la mente acalorada.
Necesitaba víctimas mi mano
que inmolar a mi fe desesperada,
y al verlos en mitad de mi camino,
presa les hice allí de mi locura. 3605
¡No fui yo, vive Dios!, ¡fue su destino!
Sabían mi destreza y mi ventura.
¡Oh! Arrebatado el corazón me siento
por vértigo infernal..., mi alma perdida

va cruzando el desierto de la vida 3610
cual hoja seca que arrebata el viento.
Dudo..., temo..., vacilo..., en mi cabeza
siento arder un volcán..., muevo la planta
sin voluntad, y humilla mi grandeza
un no sé qué de grande que me espanta. 3615
(Un momento de pausa.)
¡Jamás mi orgullo concibió que hubiere
nada más que el valor...! Que se aniquila
el alma con el cuerpo cuando muere
creí..., mas hoy mi corazón vacila.
¡Jamás creí en fantasmas...! ¡Desvaríos! 3620
Mas del fantasma aquel, pese a mi aliento,
los pies de piedra caminando siento,
por doquiera que voy, tras de los míos.
¡Oh! Y me trae a este sitio irresistible,
misterioso poder...
(Levanta la cabeza y ve que no está en su pedestal LA ESTATUA DE DON GONZALO.)
¡Pero qué veo! 3625
¡Falta de allí su estatua...! Sueño horrible,
déjame de una vez... No, no te creo.
Sal, huye de mi mente fascinada,
fatídica ilusión..., estás en vano
con pueriles asombros empeñada 3630
en agotar mi aliento sobrehumano.
Si todo es ilusión, mentido sueño,
nadie me ha de aterrar con trampantojos;
si es realidad, querer es necio empeño

3611 Esta imagen de la hoja seca recuerda los famosos versos de *El estudiante de Salamanca,* (1840) de Espronceda: «Hojas del árbol caídas / juguete del viento son; / las ilusiones perdidas / ¡ay! son hojas desprendidas / del árbol del corazón».

3633 *trampantojos:* «enredo o artificio para engañar o perjudicar a otros a ojos vistas: como quien dice, trampa ante los ojos» *(Diccionario de Autoridades).*

aplacar de los cielos los enojos. 3635
No; sueño o realidad, del todo anhelo
vencerle o que me venza; y si piadoso
busca tal vez mi corazón el cielo,
que le busque más franco y generoso.
La efigie de esa tumba me ha invitado 3640
a venir a buscar prueba más cierta
de la verdad en que dudé obstinado...
Heme aquí, pues: Comendador, despierta.

(Llama al sepulcro del Comendador. Este sepulcro se cambia en una mesa que parodia horriblemente la mesa en que cenaron en el acto anterior DON JUAN, CENTELLAS *y* AVELLANEDA. *En vez de las guirnaldas que cogían en pabellones sus manteles, de sus flores y lujoso servicio, culebras, huesos y fuego, etcétera. [A gusto del pintor.] Encima de esta mesa aparece un plato de ceniza, una copa de fuego y un reló de arena. Al cambiarse este sepulcro, todos los demás se abren y dejan paso a las osamentas de las personas que se suponen enterradas en ellos, envueltas en sus sudarios. Sombras, espectros y espíritus pueblan el fondo de la escena. La tumba de* DOÑA INÉS *permanece.)*

ESCENA II

DON JUAN, LA ESTATUA DE DON GONZALO, LAS SOMBRAS

ESTATUA. Aquí me tienes, don Juan,
y he aquí que vienen conmigo 3645
los que tu eterno castigo
de Dios reclamando están.
JUAN. ¡Jesús!
ESTATUA. ¿Y de qué te alteras,
si nada hay que a ti te asombre,

y para hacerte eres hombre 3650
platos con sus calaveras?

JUAN. ¡Ay de mí!

ESTATUA. Qué, ¿el corazón
te desmaya?

JUAN. No lo sé;
concibo que me engañé;
no son sueños..., ¡ellos son! 3655
(Mirando a los espectros.)
Pavor jamás conocido
el alma fiera me asalta,
y aunque el valor no me falta,
me va faltando el sentido.

ESTATUA. Eso es, don Juan, que se va 3660
concluyendo tu existencia,
y el plazo de tu sentencia
está cumpliéndose ya.

JUAN. ¡Qué dices!

ESTATUA. Lo que hace poco
que doña Inés te avisó, 3665
lo que te he avisado yo,
y lo que olvidaste loco.
Mas el festín que me has dado
debo volverte, y así
llega, don Juan, que yo aquí 3670
cubierto te he preparado.

JUAN. ¿Y qué es lo que ahí me das?

ESTATUA. Aquí fuego, allí ceniza.

JUAN. El cabello se me eriza.

ESTATUA. Te doy lo que tú serás. 3675

JUAN. ¡Fuego y ceniza he de ser!

ESTATUA. Cual los que ves en redor:
en eso para el valor,
la juventud y el poder.

JUAN. Ceniza, bien; ¡pero fuego! 3680

ESTATUA. El de la ira omnipotente,

do arderás eternamente
por tu desenfreno ciego.

JUAN. ¿Conque hay otra vida más
y otro mundo que el de aquí? 3685
¿Conque es verdad, ¡ay de mí!,
lo que no creí jamás?
¡Fatal verdad que me hiela
la sangre en el corazón!
Verdad que mi perdición 3690
solamente me revela.
¿Y ese reló?

ESTATUA. Es la medida
de tu tiempo.

JUAN. ¡Expira ya!

ESTATUA. Sí; en cada grano se va
un instante de tu vida. 3695

JUAN. ¿Y ésos me quedan no más?

ESTATUA. Sí.

JUAN. ¡Injusto Dios! Tu poder
me haces ahora conocer,
cuando tiempo no me das
de arrepentirme.

ESTATUA. Don Juan, 3700
un punto de contrición
da a un alma la salvación,
y ese punto aún te le dan.

JUAN. ¡Imposible! ¡En un momento
borrar treinta años malditos 3705
de crímenes y delitos!

ESTATUA. Aprovéchate con tiento,
(Tocan a muerto.)
porque el plazo va a expirar,
y las campanas doblando

3706 En este primer momento, adopta don Juan la postura del *Condenado por desconfiado,* otra de las obras famosas de Tirso, creyendo que las obras que ha realizado son tan malas que no merece la salvación.

por ti están, y están cavando 3710
la fosa en que te han de echar.

(Se oye a lo lejos el oficio de difuntos.)

JUAN. ¿Conque por mí doblan?
ESTATUA. Sí.
JUAN. ¿Y esos cantos funerales?
ESTATUA. Los salmos penitenciales,
que están cantando por ti. 3715

(Se ve pasar por la izquierda luz de hachones, y rezan dentro.)

JUAN. ¿Y aquel entierro que pasa?
ESTATUA. Es el tuyo.
JUAN. ¡Muerto yo!
ESTATUA. El capitán te mató
a la puerta de tu casa.
JUAN. Tarde la luz de la fe 3720
penetra en mi corazón,
pues crímenes mi razón
a su luz tan sólo ve.
Los ve... y con horrible afán:
porque al ver su multitud, 3725
ve a Dios en la plenitud

3717 La visión de su propio entierro también aparece en *El estudiante de Salamanca.* En esta obra, don Félix de Montemar —«segundo don Juan Tenorio— ve pasar su propio entierro: «Calado el sombrero y en pie, indiferente / el féretro mira don Félix pasar, / y al paso pregunta con su aire insolente / los nombres de aquellos que al sepulcro van. // Mas ¡cuál su sorpresa, su asombro cuál fuera / cuando horrorizado con espanto ve / que el uno don Diego de Pastrana era, / y el otro ¡Dios santo, y el otro era él...!».

La visión del propio entierro procede de una larga tradición literaria. En su *Romancero de Romances* recoge Agustín Durán una leyenda similar que encuentra su antecedente en la recogida por Cristóbal Lozano, en 1656, en sus *Soledades de la vida y desengaños del mundo.* También la utilizan Vélez de Guevara en *El niño diablo,* y Lope de Vega en *El vaso de elección, San Pablo.*

de su ira contra don Juan.
¡Ah! Por doquiera que fui
la razón atropellé,
la virtud escarnecí 3730
y a la justicia burle,
y empozoñé cuanto vi.
Yo a las cabañas bajé
y a los palacios subí,
y los claustros escalé; 3735
y pues tal mi vida fue,
no, no hay perdón para mí.
¡Mas ahí estáis todavía *(A los fantasmas.)*
con quietud tan pertinaz!
Dejadme morir en paz 3740
a solas con mi agonía.
Mas con esta horrenda calma,
¿qué me auguráis, sombras fieras?
¿Qué esperan de mí? *(A LA ESTATUA DE DON GONZALO.)*

ESTATUA. Que mueras
para llevarse tu alma. 3745
Y adiós, don Juan; ya tu vida
toca a su fin, y pues vano
todo fue, dame la mano
en señal de despedida.

JUAN. ¿Muéstrasme ahora amistad? 3750

ESTATUA. Sí: que injusto fui contigo,
y Dios me manda tu amigo
volver a la eternidad.

JUAN. Toma, pues.

ESTATUA. Ahora, don Juan, 3755
pues desperdicias también
el momento que te dan,
conmigo al infierno ven.

JUAN. ¡Aparta, piedra fingida!
Suelta, suéltame esa mano,

que aún queda el último grano 3760
en el reló de mi vida.
Suéltala, que si es verdad
que un punto de contrición
da a un alma la salvación
de toda una eternidad, 3765
yo, Santo Dios, creo en Ti:
si es mi maldad inaudita,
tu piedad es infinita...
¡Señor, ten piedad de mí!

ESTATUA. Ya es tarde.

(DON JUAN *se hinca de rodillas, tendiendo al cielo la mano que le deja libre la estatua. Las sombras, esqueletos, etc., van a abalanzarse sobre él, en cuyo momento se abre la tumba de* DOÑA INÉS *y aparece ésta.* DOÑA INÉS *toma la mano que* DON JUAN *tiende al cielo.)*

ESCENA III

DON JUAN, LA ESTATUA DE DON GONZALO, DOÑA INÉS, SOMBRAS, *etc.*

INÉS. ¡No! Heme ya aquí, 3770
don Juan; mi mano asegura
esta mano que a la altura
tendió tu contrito afán,
y Dios perdona a don Juan
al pie de mi sepultura. 3775

JUAN. ¡Dios clemente! ¡Doña Inés!

INÉS. Fantasmas, desvaneceos:
su fe nos salva..., volveos
a vuestros sepulcros, pues.
La voluntad de Dios es: 3780
de mi alma con la amargura

purifiqué su alma impura,
y Dios concedió a mi afán
la salvación de don Juan
al pie de la sepultura. 3785

JUAN. ¡Inés de mi corazón!

INÉS. Yo mi alma he dado por ti,
y Dios te otorga por mí
tu dudosa salvación.
Misterio es que en comprensión 3790
no cabe de criatura:
y sólo en vida más pura
los justos comprenderán
que el amor salvó a don Juan
al pie de la sepultura. 3795
Cesad, cantos funerales;
(Cesa la música y salmodia.)
callad, mortuorias campanas;
(Dejan de tocar a muerto.)
ocupad, sombras livianas,
vuestras urnas sepulcrales;
(Vuelven los esqueletos a sus tumbas, que se cierran.)
volved a los pedestales, 3800
animadas esculturas;
(Vuelven las estatuas a sus lugares.)
y las celestes venturas
en que los justos están,
empiecen para don Juan
en las mismas sepulturas.

(Las flores se abren y dan paso a varios angelitos que rodean a DOÑA INÉS *y a* DON JUAN, *derramando sobre ellos flores y perfumes, y al son de una música dulce y lejana se ilumina el teatro con luz de aurora.* DOÑA INÉS *cae sobre un lecho de flores, que quedará a la vista en lugar de su tumba, que desaparece.)*

ESCENA ÚLTIMA

DOÑA INÉS, DON JUAN, LOS ÁNGELES

JUAN. ¡Clemente Dios, gloria a Ti!
Mañana a los sevillanos
aterrará el creer que a manos
de mis víctimas caí.
Mas es justo; quede aquí 3810
al universo notorio
que, pues me abre el purgatorio
un punto de penitencia,
es el Dios de la clemencia
el Dios de *don Juan Tenorio*. 3815

(Cae DON JUAN *a los pies de* DOÑA INÉS, *y mueren ambos. De sus bocas salen sus almas representadas en dos brillantes llamas, que se pierden en el espacio al son de la música. Cae el telón.)*

GUÍA DE LECTURA

por Juan Francisco Peña

José Zorrilla. Foto archivo Espasa

CUADRO CRONOLÓGICO

AÑO	VIDA Y OBRA DE JOSÉ ZORRILLA	ACONTECIMIENTOS HISTÓRICOS	ACONTECIMIENTOS LITERARIOS Y CULTURALES
1817	El 21 de febrero nace José Zorrilla Moral en la calle de la Ceniza de Valladolid, hoy de Fray Luis de Granada. Su padre, José Zorrilla Caballero, era relator de la chancillería; su madre se llamaba Nicomedes Moral.	Sublevación del general Lacy en Cataluña contra la monarquía absolutista de Fernando VII. Monroe es elegido presidente de E.U.A.	Mary Shelley publica *Frankenstein o El Prometeo moderno*. Nace Campoamor. Muere Meléndez Valdés.
1820	Debido a su conducta a favor del absolutismo, Zorrilla Caballero es nombrado regidor interino de Valladolid.	Pronunciamiento de Riego. El rey acata la Constitución de 1812. Comienza el «Trienio constitucional».	*Ivanhoe,* de Walter Scott. Fundación del Ateneo de Madrid. Goya pinta *Los desastres de la guerra.*
1823		Llegada a España de los «Cien mil hijos de San Luis». Restauración del absolutismo. Comienza la «Década ominosa».	Schubert compone el *Ave María.*
1826	Zorrilla Caballero es destinado a la Audiencia de Sevilla y allí se traslada con su familia.	Continúan las persecuciones contra los liberales.	Primer ferrocarril de Liverpool a Manchester.
1827	Zorrilla Caballero es enviado a Madrid como superintendente general de la policía. Zorrilla ingresa en el Real Seminario de Nobles.	Levantamiento de los «agraviados» en Cataluña, sangrientamente reprimido.	Primera edición de *Los novios,* de Manzoni. Estreno en París de *Cromwell,* de Victor Hugo. Muere Beethoven.
1829		Muere María Amalia de Sajonia. Fernando VII se casa con María Cristina de Borbón.	Se traduce el *Don Juan,* de Lord Byron.

AÑO	VIDA Y OBRA DE JOSÉ ZORRILLA	ACONTECIMIENTOS HISTÓRICOS	ACONTECIMIENTOS LITERARIOS Y CULTURALES
1830		Nace la futura Isabel II. Se promulga la Pragmática Sanción para que pueda heredar el trono la princesa Isabel. Revolución burguesa en Francia.	Martínez de la Rosa estrena en París su drama *Abén Humeya o la rebelión de los moriscos.* Victor Hugo estrena *Hernani,* la obra que se considera como el inicio del Romanticismo.
1831		Ejecución de Mariana Pineda y del general Torrijos.	Stendhal publica *El rojo y el negro.* Victor Hugo, *Nuestra Señora de París.* Goethe, *Fausto.*
1832	Zorrilla Caballero es destituido de su cargo y desterrado de Madrid; se refugia en Arroyo de Muño (Burgos).	Cae el ministro Calomarde y le sucede Cea Bermúdez, quien inicia una política más liberal.	Mueren Walter Scott y Goethe.
1833	La familia de Zorrilla se asienta en Lerma (Burgos).	Muere Fernando VII. Isabel II, reina de España. Regencia de María Cristina. Comienzan las guerras carlistas.	*Poesías,* de Martínez de la Rosa. Nacen Pedro Antonio de Alarcón y José M.ª de Pereda.
1834	Zorrilla se asienta en Toledo para estudiar leyes en la Universidad.	Estatuto real de Martínez de la Rosa. Vuelta masiva de los exiliados.	Martínez de la Rosa estrena *La conjuración de Venecia.* Espronceda publica la novela histórica *Sancho Saldaña.* Larra estrena *Macías.* Se representa en Madrid la ópera de Mozart *Don Giovanni.* Prosper Merimée publica, en *La revue de deux mondes, Les âmes du Purgatoire,* y Blaze de Bury el drama lírico *La souper chez le Commadeur,* en la misma revista.
1835	Zorrilla publica en la revista *El Artista* su primera obra, un cuento titulado *La mujer negra o una antigua capilla de templarios.*	Desamortización de Mendizábal. Quema de conventos en Barcelona.	*Don Álvaro o la fuerza del sino,* del Duque de Rivas. Colt fabrica el primer revólver.

AÑO	VIDA Y OBRA DE JOSÉ ZORRILLA	ACONTECIMIENTOS HISTÓRICOS	ACONTECIMIENTOS LITERARIOS Y CULTURALES
1836	Abandona los estudios de leyes y huye a Madrid. Colabora en algunos periódicos.	Sublevación de los sargentos de La Granja. Restablecimiento de la Constitución de 1812.	Nace G. A. Bécquer. Mesonero Romanos funda el *Semanario pintoresco español*. García Gutiérrez estrena *El trovador*. Se estrena en Madrid el drama de Victor Hugo *Hernani*. Se publica la traducción de García Gutiérrez del drama de Alejandro Dumas *Don Juan de Manara o la caída de un ángel*.
1837	Zorrilla lee en el sepelio de Larra los versos que le harán famoso. Conoce a todos los románticos. Colabora en *El Porvenir* y en *El Español*. Publica el primer tomo de sus *poesías*.	Se promulga la nueva Constitución liberal.	Se suicida M. J. de Larra. Hartzenbusch estrena *Los amantes de Teruel*. Espronceda publica *El estudiante de Salamanca*. Nace Rosalía de Castro. Morse inventa el telégrafo.
1838	Publica los tomos segundo y tercero de sus *poesías*.		
1839	Publica los tomos cuarto y quinto de sus poesías. Escribe, en colaboración con García Gutiérrez, el drama *Juan Dandolo*. Publica el tomo sexto de sus	Convenio de Vergara que termina la primera guerra carlista. María Cristina renuncia a su regencia.	Daguerre inventa la primera máquina fotográfica.

AÑO	VIDA Y OBRA DE JOSÉ ZORRILLA	ACONTECIMIENTOS HISTÓRICOS	ACONTECIMIENTOS LITERARIOS Y CULTURALES
	poesías. En agosto se casa con Florentina Matilde O'Reilly, una viuda dieciséis años mayor que él. En septiembre estrena en el teatro del Príncipe *Cada cual con su razón.*		
1840	Publica los tomos séptimo y octavo de sus poesías. En marzo estrena *Lealtad de una mujer y aventuras de una noche.* Pero el gran éxito y reconocimiento le llega con el estreno, el 14 del marzo, en el teatro del Príncipe, de la primera parte de *El zapatero y el rey.* Empieza a publicar *Cantos del trovador.*	Comienza la regencia del general Espartero.	Espronceda publica *El diablo mundo.*
1841	En abril se representa su obra *Apoteosis de don Pedro Calderón de la Barca,* con motivo del traslado de los restos de este autor. En junio aparece el tercer volumen y último de los *Cantos del trovador.* El teatro de la Cruz le contrata con un sueldo mensual de 1.500 reales para que escriba dos obras anuales.	Fusilamiento del general Diego de León, en Madrid.	Jaime Balmes publica *Consideraciones políticas sobre la situación en España.* *La esencia del cristianismo,* de Feuerbach.
1842	En enero estrena la segunda parte de *El zapatero y el rey.* En febrero estrena *El eco del torrente,* y en meses sucesivos *Los dos virreyes, Un año y un día* y *Sancho García.* Publica *Vigilias de estío.*	Espartero reprime el movimiento republicano en Barcelona y bombardea la ciudad.	Muere Espronceda.

AÑO	VIDA Y OBRA DE JOSÉ ZORRILLA	ACONTECIMIENTOS HISTÓRICOS	ACONTECIMIENTOS LITERARIOS Y CULTURALES
1843	En marzo estrena con gran éxito *El puñal del godo,* y el mismo día estrena *Sofronia,* tragedia en un acto. En octubre estrena *El molino de Guadalajara,* y en noviembre *El caballo del rey don Sancho.* En diciembre representa la alegoría *La oliva y el laurel.* Colabora en diversas publicaciones, y en octubre se le concede, junto con Bretón de los Herreros y Hartzenbusch, la cruz de Carlos III.	Fin de la regencia de Espartero. Isabel II, proclamada mayor de edad a los 13 años.	Nace Benito Pérez Galdós.
1844	El 28 de marzo estrena *Don Juan Tenorio.* En mayo estrena *La copa de marfil.* Publica el volumen de poesías titulado *Recuerdos y fantasías.*	Gobierno de los moderados. Regreso de María Cristina. Creación de la Guardia Civil por el duque de Ahumada.	Gil y Carrasco publica *El señor de Bembibre,* y Alejandro Dumas *Los tres mosqueteros.*
1845	En enero estrena *Más vale llegar a tiempo que rondar un año,* comedia ya publicada en el tomo IV de sus poesías. En este mismo mes estrena *El alcalde Ronquillo o el diablo en Valladolid.* Publica dos volúmenes de poemas. Regresa su padre del exilio. En abril se desplaza a Granada donde se inspira para su poema *Granada.* Conoce a Juan Valera. Se marcha a Francia donde contrata con el editor Baudry la publicación de sus obras.	Se promulga la cuarta Constitución, de carácter conservador. Fusilamiento en Logroño del general Zurbano. Conflicto bélico entre E.U.A. y México. E.U.A. se anexiona Texas.	Hartzenbusch estrena *La jura de Santa Gadea;* Ventura de la Vega, *El hombre de mundo.* Jaime Balmes publica *El criterio.* Pascual Madoz inicia la publicación de su *Diccionario geográfico estadístico histórico de España y sus posesiones en ultramar.* Prosper Merimée escribe *Carmen.*

AÑO	VIDA Y OBRA DE JOSÉ ZORRILLA	ACONTECIMIENTOS HISTÓRICOS	ACONTECIMIENTOS LITERARIOS Y CULTURALES
1846	Regresa de Francia. Es recibido por su padre en Torquemada.	Matrimonio de Isabel II con Francisco de Asís.	
1847	Estrena *El rey loco, La reina y los favoritos,* y *La calentura,* segunda parte de *El puñal del godo.* Baudry publica sus obras en dos volúmenes.	Gobierno de Pacheco y Narváez. Crisis económica internacional.	Estébanez Calderón publica *Escenas andaluzas.*
1848	En septiembre estrena *El excomulgado* y en octubre *El diluvio universal.* En diciembre, es nombrado académico en sustitución de Alberto Lista.	Revolución en Francia: comienza la II República. Francisco José I, emperador de Austria.	Primer ferrocarril español entre Barcelona y Mataró. Muere Jaime Balmes. Alejandro Dumas, hijo, publica *La dama de las camelias.* Marx y Engels publican el *Manifiesto comunista.*
1849	En marzo estrena *Traidor, inconfeso y mártir.* Muere su padre. Zorrilla es destituido como académico de la lengua por no leer su discurso en el plazo reglamentario.	Gabinete Narváez.	Charles Dickens publica *David Copperfield.* Fernán Caballero publica *La gaviota,* como folletín, en *El Heraldo.*
1851	Publica en París *Cuento de cuentos. Mil leyendas granadinas* precedidas de *Una historia de locos.*	Concordato con la Santa Sede.	*Moby Dick o la ballena blanca,* de H. Melville. Primera exposición universal en Londres.
1852	Se traslada a Bruselas siguiendo a «Leila», una mujer de la que está enamorado. Baudry publica la segunda edición de sus *Obras,* añadiendo un tercer volumen. Aparecen los dos tomos de su poema *Granada.*	Napoleón III, emperador de Francia.	Nacen Emilia Pardo Bazán y Leopoldo Alas «Clarín».

AÑO	VIDA Y OBRA DE JOSÉ ZORRILLA	ACONTECIMIENTOS HISTÓRICOS	ACONTECIMIENTOS LITERARIOS Y CULTURALES
1853	Zorrilla dedica a la emperatriz su poema *Serenata morisca*. Publica *Cuentos de un loco*.	Matrimonio de Napoleón III con Eugenia de Montijo.	Nace Armando Palacio Valdés. Verdi estrena *La traviata*.
1854	Colabora en diferentes publicaciones. Embarca hacia México dejando una hija en brazos de «Leila», Emilia Serrano.	Pronunciamiento de O'Donnell. Bienio progresista. Guerra de Crimea: Francia y Gran Bretaña declaran la guerra a Rusia.	Sanz del Río introduce en España el krausismo.
1855	En México es recibido con todos los honores. Comienza a publicar *La flor de los recuerdos*, en elogio de los mexicanos.	Ley de concesiones de ferrocarriles. Primera huelga general en Barcelona.	*Hojas de hierba*, de Walt Whitman.
1859	Zorrilla se asienta en Cuba. Muere su hija. Regresa a México.	Comienza la guerra de África.	Charles R. Darwin publica su famoso estudio *Sobre el origen de las especies en términos de seleccion natural*.
1864	Maximiliano es proclamado como emperador de México. Zorrilla lee unos versos en su honor.	Cánovas del Castillo, ministro del gabinete Narváez.	Nace Miguel de Unamuno. Fundación de la Cruz Roja Internacional. G. A. Bécquer publica *Cartas desde mi celda*.
1865	Es nombrado director del Teatro Nacional de México, que se abre con *Don Juan Tenorio*. Muere su mujer Florentina M. O'Reilly.	Insurrección de los estudiantes y represión sangrienta de la noche de San Daniel en Madrid. O'Donnell sube nuevamente al poder. Asesinato de Lincoln.	Muere el duque de Rivas. *Guerra y paz*, de Tolstoi. *La muerte de César*, de Ventura de la Vega.
1866	Regresa a España y es aclamado en Barcelona, Burgos, Valladolid y Madrid.	Conspiración de Prim.	Nacen Jacinto Benavente y Valle Inclán. *Crimen y castigo*, de Dostoievski. Formación del Ku-Klus-Klan.

AÑO	VIDA Y OBRA DE JOSÉ ZORRILLA	ACONTECIMIENTOS HISTÓRICOS	ACONTECIMIENTOS LITERARIOS Y CULTURALES
1867	En marzo publica *Álbum de un loco.* El fusilamiento del emperador le empuja a escribir *El drama del alma.*	Muere O'Donnell. Fusilamiento de Maximiliano.	Nacen Rubén Darío y Blasco Ibáñez. *El capital,* de Marx y Engels. Nobel descubre la dinamita.
1868	Se establece en Barcelona. En abril publica *Ecos de las montañas.*	Revolución de septiembre, «La Gloriosa». Destitución y exilio de Isabel II. Pronunciamiento de Prim. Gobierno de Serrano.	Galdós publica *La fontana de oro.*
1869	Zorrilla se casa con Juana Pacheco.	Cortes constituyentes. Constitución de 1869. Gobierno de Prim.	Primer Concilio Vaticano. Inauguración del canal de Suez, de Lesseps.
1870	En marzo estrena en Barcelona el drama *Entre clérigos y diablos* o *El encapuchado.* Se establece en Madrid donde negocia una subvención estatal.	Amadeo de Saboya es proclamado rey de España.	Mueren G. A. Bécquer, Prosper Merimée y Dickens.
1871	Se le concede la gran cruz de Carlos III, y una pensión para que se desplace a Roma, donde se instala.	Asesinato de Prim. Gobiernos de Serrano, Ruiz Zorrilla y Sagasta.	*Aida,* de Verdi.
1873	En Roma se dedica a sus trabajos poéticos.	Comienza la tercera guerra carlista. Abdicación de Amadeo. Se proclama la Primera República.	Nace Azorín. Galdós inicia los *Episodios Nacionales.*
1874	Se traslada a Francia.	Bombardeo carlista contra las liberales refugiados en Bilbao. Sublevación de Martínez Campos y restauración de la Monarquía: Alfonso XII.	Alarcón, *El sombrero de tres picos.* Valera, *Pepita Jiménez.*

AÑO	VIDA Y OBRA DE JOSÉ ZORRILLA	ACONTECIMIENTOS HISTÓRICOS	ACONTECIMIENTOS LITERARIOS Y CULTURALES
1877	Estrena en el teatro Español el drama *Pilatos,* y en octubre la zarzuela *Don Juan Tenorio.*		Nace Francisco Villaespesa. Echegaray publica *O locura o santidad.*
1878	Zorrilla envía a la reina unos poemas manuscritos. En mayo estrena la comedia *El doctor Diógenes.* Cuando muere la reina, escribe dos poemas elegíacos.	Matrimonio de Alfonso XII con M.ª Mercedes de Orleans, que muere meses después. Atentado contra el rey. Ley electoral del sufragio restringido.	
1879	Zorrilla se queda sin pensión. Pasa apuros económicos. Publica en *El Imparcial* una serie de artículos que formarán después los *Recuerdos del tiempo viejo.*	Matrimonio de Alfonso XII con M.ª Cristina de Haugsburgo. Fundación del PSOE.	Galdós publica *La familia de León Roch.* Siemens inventa la locomotora eléctrica.
1882	Valladolid le nombra cronista de la ciudad. Es nombrado académico de la Real Academia Española. Comienza la publicación de *La leyenda del Cid.*	Sublevaciones republicanas en diferentes zonas.	Muere Mesonero Romanos.
1884	Empieza la publicación de las *Obras completas.* Sigue haciendo lecturas públicas en varias ciudades.		*Sotileza,* de J. M.ª Pereda. *La regenta,* de Clarín. *En las orillas del sar,* de Rosalía de Castro.
1892	Sufre graves problemas de salud. Entre enero y mayo publica en *El Liberal* los poemas dedicados a varias ciudades españolas.		
1893	Muere el 23 de enero. Asistieron al entierro unas 200.000 personas.	Atentado anarquista en el teatro del Liceo.	*Peñas arriba,* de J. M.ª Pereda. *El grito,* cuadro de Edvard Munch que se considera el inicio del expresionismo.

DOCUMENTACIÓN COMPLEMENTARIA

1. Origen de la leyenda del Tenorio

Romance oído en Riaza (Segovia), citado por R. Menéndez Pidal.

Un día muy señalado
fue un caballero a la iglesia
y se vino a arrodillar
junto a un difunto de piedra.
Tirándole de la barba,
estas palabras dijera:
«¡Oh, buen viejo venerable,
quién algún día os dijera
que con estas mismas manos
tentara a tu barba mengua!
Para la noche que viene
yo te convido a una cena.
Pero me dirás que no,
que la barriga está llena,
la tienes angosta y larga,
no te cabe nada en ella».
Va el caballero a su casa,
sin que nada discurriera
de lo que pudo ocurrir
con aquella grande ofensa.
A eso del anochecer,

llama el difunto a la puerta.
Pregunta: «¿Quién es quien llama?».
«Quien algo se le ofreciera;
anda, paje, y dile a tu amo,
dile que si no se acuerda
del convidado que tiene
para esta noche a la cena».
Se lo dicen al señor
y al momento se le hiela
la sangre del corazón,
palpitea cedo y tiembla.
«¡Anda, pues, dile que suba,
que suba muy norabuena!».
Le alumbraron con dos hachas,
al subir de la escalera,
le arrastraron una silla
para que se siente en ella.
«¡Cena, si quieres cenar,
que ya está la cena puesta!».
«Yo no vengo por cenar;
vengo por ver cómo cenas;
vengo por ver si cumplías
la palabra que tiés puesta.
Para la noche que viene
yo te convido a otra cena».
El, con su grande cuidado,
al 'manecer se despierta.
Ha montado en su caballo
y a San Francisco se fuera;
ha estado con el guardián
y en confesión se lo cuenta;
le ha dado un escapulario
que sirva pa su defensa.
A eso del anochecer,
fue el caballero a la iglesia;
viera pala y azadón
y una sepultura abierta.
Entre las ocho y las nueve,
salía el difunto fuera.

«Caballero, entra a cenar,
que ya está la cena puesta;
cena de muchos manjares,
a mi gusto bien dispuesta.

Agradece que has comido
pan de beatos sustento
que si no, habías de entrar,
aunque fuera a pesar vuestro
para que otra vez no hagas
burla de los que están muertos.
Rezarlos y encomendarlos
y rogar a Dios por ellos;
esto se debe de hacer,
y te sirva de escarmiento.

(R. Menéndez Pidal, «Sobre los orígenes del *Convidado de Piedra*», en *Estudios Literarios,* Espasa Calpe, col. Austral, Madrid, 1943, págs. 78-80).

2. Opiniones de Zorrilla sobre su obra

En febrero de 1944 volvió Carlos Latorre a Madrid, y necesitaba una obra nueva: correspondíame el derecho de aprontársela, pero yo no tenía nada pensado y urgía el tiempo: el teatro debía cerrarse en abril. No recuerdo quién me indicó el pensamiento de una refundición de *El burlador de Sevilla,* o si yo mismo, animado por el poco trabajo que me había costado la de *Las travesuras de Pantoja,* di en esta idea registrando la colección de las comedias de Moreto [éste es uno de los errores de Zorrilla, quien confunde a Moreto con Tirso de Molina]; el hecho es que, sin más datos ni más estudios que *El burlador de Sevilla,* de aquel ingenioso fraile, y su mala refundición de Solís, que era la que hasta entonces se había representado bajo el título de *No hay plazo que no se cumpla ni deuda que no se pague o El convidado de piedra* [la refundición de la que habla Zorrilla no es de Solís sino de Antonio de Zamora], me obligué yo a escribir a veinte días un *Don Juan* de mi confección. Tan ignorante como atrevido, la emprendí yo con aquel magnífico argumento, sin conocer ni *Le festin de Pierre,* de Molière, ni el precioso libreto del abate Da Ponte, ni nada, en fin, de lo que en Alemania, Francia e Italia había escrito sobre la inmensa idea del libertinaje sacrílego personificado en un hombre: Don Juan.

(*Recuerdos del tiempo viejo* (1880), en *Obras Completas,* II, Valladolid, 1943, págs. 1799-1800).

Mi obra tiene una excelencia que la hará durar largo tiempo sobre la escena, un genio tutelar en cuyas alas se elevará sobre los demás Tenorios: la creación de mi doña Inés cristiana; los demás Don Juanes son obras paganas; sus mujeres son hijas de Venus y de Baco y hermanas de Príapo; mi doña Inés es la hija de Eva antes de salir del Paraíso; las paganas van desnudas, coronadas de flores y ebrias de lujuria, y mi doña Inés, flor y emblema del amor casto, viste un hábito y lleva al pecho la cruz de una Orden de caballería. Quien no tiene carácter, quien tiene defectos enormes, quien mancha mi obra, es D. Juan; quien la sostiene, quien la aquilata, la ilumina y la da relieve, es doña Inés; yo tengo orgullo de ser el creador de doña Inés y pena por no haber sabido crear a D. Juan. El pueblo aplaude a éste y le ríe sus gracias, como su familia aplaudiría las de un calavera mal criado; pero aplaude a doña Inés, porque ve tras ella un destello de la doble luz que Dios ha encendido en el alma del poeta: la inteligencia y la fe. D. Juan desatina siempre; doña Inés encauza siempre las escenas que él desborda.

(*Recuerdos del tiempo viejo* (1880), en *Obras Completas,* II, Valladolid, 1943, pág. 1802).

3. LA CRÍTICA DE LA ÉPOCA

Además del mérito de la versificación, tiene este drama, en nuestro sentir, el de la disposición de muchas escenas que son de grandísimo efecto. En este sentido, elogiaremos el 1.º y 4.º actos, aunque en este último está, a nuestro entender, muy mal motivada la muerte de don Gonzalo y su asesinato rebaja mucho el carácter del protagonista como lo había hecho la alevosa prisión de D. Luis Mejía. No podemos dar iguales alabanzas al desenlace final del drama, convertido en un juego de linterna mágica con la aparición de tanto difunto, y prolongado mucho más de lo justo hasta tocar con aquella superabundancia de transformaciones en los excesos de las comedias de magia hechas para divertir al vulgo en los días de carnaval.

(*El Laberinto, Periódico Universal*, 12, martes 16 de abril de 1844).

4. Don Juan Tenorio en la literatura

4.1. *Don Juan visto por la Regenta*

El tercer acto fue una revelación de poesía apasionada para doña Ana. Al ver a doña Inés en su celda, sintió la Regenta escalofríos; la novicia se parecía a ella; Ana la conoció al mismo tiempo que el público; hubo un murmullo de admiración, y muchos espectadores se atrevieron a volver el rostro al palco de Vegallana con disimulo. La González era cómica por amor. [...] Decía los versos de doña Inés con voz cristalina y trémula, y en los momentos de ceguera amorosa se dejaba llevar por la pasión cierta —porque se trataba de su marido— y llegaba a un realismo poético que ni Perales ni la mayor parte del público eran capaces de apreciar en lo mucho que valía.

Doña Ana sí; clavados los ojos en la hija del Comendador, olvidada de todo lo que estaba fuera de la escena, bebió con ansiedad toda la poesía de aquella celda casta en que se estaba filtrando el amor por las paredes. «—¡Pero esto es divino!», dijo volviéndose hacia su marido, mientras pasaba la lengua por los labios secos. [...] Todo, todo lo que pasaba allí y lo que ella adivinaba, producía en Ana un efecto de magia poética, y le costaba trabajo contener las lágrimas que se le agolpaban en los ojos.

«¡Ay! Sí, el amor era aquello, un filtro, una atmósfera de fuego, una locura mística; huir de él era imposible; imposible gozar mayor aventura que saborearle con todos sus venenos. Ana se comparaba con la hija del Comendador; el caserón de los Ozores era su convento, su marido la regla estrecha de hastío y frialdad en que ya había profesado ocho años hacía... y don Juan... ¡Don Juan aquel Mesía que también se filtraba por las paredes, aparecía por milagro y llenaba el aire con su presencia!».

(Leopoldo Alas «Clarín», *La Regenta* (1885), Alianza Editorial, Madrid. 1972, 5.ª ed., pág. 346).

4.2. *Una confusión de donjuanes: La Don-Juanía*

MUJER VELADA
Todo es velo en la mujer;
Y, aun si sus velos retira,
Sólo el que de amor la mira
la ve en su desnudo ser.

PUSHKIN
Mas, para ver tu belleza,
que alce el velo, déjame.

MUJER VELADA
No hagáis tamaña vileza,
No... si no tenéis certeza
De que sois el que yo amé.

MOLIÈRE
Si al menos dierais señales...
¿Dónde estaba aquel lunar?

ZORRILLA
Con chanzas de lupanar
No se rinden damas tales.

TIRSO
¿Estás tú al menos segura
De cuál fue el Don Juan que amaste?
(Larga pausa)

BYRON
Dado habéis, al fin, al traste
con su firme compostura.
(Otra pausa)

MOLIÈRE
En bien, hablad. ¿Cuál ha sido
Vuestro adorado Don Juan?

MOZART
Los seis ante vos están
Y aún no lo habéis conocido.

MUJER VELADA
¿Quién hubiera resistido
A aquella voz que se dora
De armonía seductora
Cuando de amores murmura?
Mas, de voz bronca a voz dura
Mi alma no decide... y llora.

ZORRILLA
Te hablaremos, pues, de amores,
Seis Don Juanes, seis maneras.
Señores, que va de veras.
Sobran los espectadores.
Los seis Juanes seductores
Tendrán cada cual su hora
A solas con la señora
Para, con lengua que liga,
Reconquistar a una amiga
Que de alguno de ellos fue:
Y a aquel a quien Dios la dé,
San Pedro se la bendiga.
Comienza esta maravilla
Y nuevo lance de amor
El primer gran seductor:
El burlador de Sevilla.

(Salvador de Madariaga, *La Don-Juanía o seis Don Juanes y una dama* (1950), en *Don Juan. Evolución dramática del mito,* ed. de A. Isasi Angulo, Bruguera, Barcelona, 1972, págs. 659-600).

5. INTERPRETACIONES, OPINIONES Y CRÍTICA

Porque toda la grandeza ideal, toda la realidad universal y eterna, esto es: histórica, de Don Juan Tenorio consiste en que es el personaje más eminentemente teatral, representativo, histórico, en que está siempre representado, es decir, representándose a sí mismo. Siempre queriéndose. Queriéndose a sí mismo y no a sus queridas. Lo material, lo biológico, desaparece junto a esto. La biología desaparece junto a la biografía, la materia junto al espíritu. Si Don Quijote dice: «¡Yo sé quién soy!», Don Juan nos dice lo mismo, pero de otro modo: «¡Yo sé lo que represento! ¡Yo sé qué represento!». Así como Segismundo sabe que se sueña. Que es también representarse. Se sueñan los tres y saben que se sueñan. Don Juan se siente siempre en escena, siempre soñándose y siempre haciendo que le sueñen, siempre soñado por sus queridas. Y soñándose en ellas.

(Miguel de Unamuno, «Prólogo a *El hermano Juan*» (1934), en *Don Juan. Evolución dramática del mito*, *op. cit.*, pág. 548).

Pero Don Juan es, ante todo, una energía bruta, instintiva, petulante, pero inagotable, triunfal y arrolladora: es, como dice Said Armesto, «el símbolo de aquella España inquieta, caballeril y andariega, que tenía por fueros sus bríos y por pragmáticas su voluntad», es el instinto sobre la ley, la fuerza sobre la autoridad, el capricho sobre la razón; es, según la frase de Ganivet, la personificación de aquellos hidalgos cuyo ideal jurídico se reduciría a «llevar en el bolsillo una carta foral con un solo artículo...: este español está autorizado para hacer lo que le dé la gana». Y en este sentido, la visión de Don Juan realiza imaginativamente el sueño íntimo, no sólo del pueblo español, sino de todos los pueblos, porque lo que verdaderamente desean los hombres, más que los tesoros de la gruta de Aladino y más que las huríes del Edén de Mahoma, es la energía necesaria —la energía infinita— para apoderarse de todas las grutas y de todos los edenes de la tierra y del cielo.

(Ramiro de Maeztu, *Don Quijote, Don Juan y La Celestina* (1926), Espasa Calpe, col. Austral, Madrid, 1972, 11ª ed., pág. 88).

Desde el punto de vista fisiológico y humano, yo aseguro que bajo ninguna de las otras interpretaciones antiguas ni modernas corre la palpitante savia donjuanesca que anima la obra del gran poeta romántico. Es cierto que es un canalla, pero si no lo fuera no sería Don Juan. En él se dan precisamente dibujados y con un aliento real insuperable los «caracteres naturales» del donjuanismo auténtico. Los personajes que le rodean —tan importantes para la comprensión del burlador— son también perfectos. Y en el lenguaje del drama hay, por último, frases de una exactitud biológica absoluta. Este tipo de aciertos inconscientes es, por cierto, una de las características del genio, y en pocas ocasiones se hallarán con mayor abundancia que en el *Tenorio.* Aun la misma antipática desfachatez y ligereza del Don Juan habitual, en la literatura y en la vida, están templadas en el de Zorrilla por aquellos momentos de noble ansiedad espiritual y de sensibilidad perfectamente viril del acto del cementerio; instantes psicológicos en que asoma la gravedad expiatoria del ocaso y que los actores, para lograr el máximo efecto, debían representar con una peluca entrecana.

(Gregorio Marañón, «Notas para la biología de Don Juan», *Revista de Occidente,* 7 (1924), pág. 52).

Quizá el éxito nacional de este *Don Juan* tenga que ver con su decidida infidelidad respecto al sentido simbólico del tema del seductor en la literatura europea —Tirso, Molière, Mozart y las versiones románticas no españolas—: en vez de representar la rebeldía del hombre frente a Dios, como venía ocurriendo en sus avatares, y como llegará a ocurrir aún en el *Don Juan aux enfers* de Baudelaire, el don Juan de Zorrilla es en el fondo un buen chico, sin orgullo satánico ni conciencia metafísica de ningún designio de endiosamiento, y, en cambio, con el tradicional sentido católico de que siempre es posible el arrepentimiento y la salvación —ese sentido que puede llegar a degenerar en laxitud confiada, en contraste con la tensión puritana—. Así, la escena final del *Don Juan Tenorio* casi parece pertenecer a algún drama teológico del Siglo de Oro, con la salvación *in extremis* del seductor gracias a la intercesión de su amada y seducida doña Inés, aparecida como espectro bienaventurado, pese al afán de venganza del comendador, pétreamente encarnado en su estatua.

(Martín de Riquer y José M.ª Valverde, *Historia de la literatura universal,* VII, Planeta, Barcelona, 1985, pág. 256).

Don Juan es el personaje teatral por excelencia. Zorrilla ha sabido encarnar esa pura teatralidad de Don Juan. Su Don Juan Tenorio habla teatralmente, siente teatralmente, piensa, las raras veces que le ocurre, teatralmente, escribe teatralmente su carta en la posada, cuenta teatralmente su historia de libertinajes, enamora teatralmente, maldice teatralmente, siente angustia y pavor teatralmente, son pura teatralidad sus desplantes a los vivos y a los muertos, a la Muerte y a Dios, y se salva teatralmente. Don Juan Tenorio es Don Juan Tenorio a fuerza de ser teatral. El acierto de Zorrilla está, pues, en haber recalcado con máxima intensidad la teatralidad de Don Juan como forma propia de vida, en haber elevado la teatralidad a modo de existencia. Cuando en el teatro nosotros, tan alejados de la sensibilidad y de la concepción del mundo de los románticos, aplaudimos *Don Juan Tenorio* no aplaudimos otra cosa que la plenitud del absoluto teatral que es el don Juan zorrillesco; es decir, una categoría: la categoría de lo teatral hecha personaje.

(Francisco Ruiz Ramón, *Historia del teatro español,* I, Alianza Editorial, Madrid, 1967, pág. 388).

Al leer *Don Juan Tenorio,* la primera impresión que se tiene y la más insistente es la de movimiento, acción y dinamismo. Don Juan es una tromba, una vorágine, que arrastra todo a su paso. Es la lírica inquietud del hombre occidental, apenas sofrenada un momento en el Renacimiento, que el romanticismo eleva a la máxima potencia. La apuesta de un año da lugar a una de seis días y ésta se reduce a unas horas; después ya no quedan nada más que instantes, diminuendo que aumenta la sensación de rapidez y movimiento. [Este dinamismo, esta acción desenfrenada lleva consigo la nota de dolor, que proviene de la limitación humana]. Zorrilla expresa el dolor que va unido íntimamente a la vida de su don Juan de una manera lírica. «Sigue, pues, con ciego afán / en tu torpe frenesí, / mas nunca vuelvas a mí; / no te conozco, don Juan». Esta redondilla, con unas u otras variantes, se repite a través de toda la obra. Su valor no reside tan sólo en poner al descubierto la agitación de don Juan —afán ciego, frenesí torpe—, abandonándole a su propia suerte, sino en el tono fúnebre, de campana que dobla, que tienen los versos. En la segunda parte, la redondilla se ha convertido en una quintilla, y el tono funeral no se deja únicamente a la música del verso, sino que aparece el tema de la sepultura (que, juntamente, con el tono fúnebre, es otra manifestación de lo macabro romántico): «De azares mil al través / conservé tu imagen pura; / y pues la mala ventura / te asesinó de don

Juan, / contempla con cuanto afán / vendrá hoy a tu sepultura». La redondilla romántica ha dejado el paso a la quintilla sentimental.

(Joaquín Casalduero, *Contribución al estudio de don Juan en el teatro español,* Porrúa Turanzas, Madrid, 1975, pág. 140).

El don Juan de Zorrilla es sin duda el más cínico, el más desvergonzado, el más osado en desafiar los sentimientos de los amigos, forzar las mujeres más púdicas, violentar las leyes más sagradas. Se complace en despreciar el honor, violentar la virtud, atacar el pudor, calumniar la amistad, desafiar la religión, rebelarse contra la sociedad. Y, siendo así, el más osado y cínico de todos ellos, es el primer don Juan que se enamora de verdad de una mujer, que se arrepiente de sus pecados y obtiene el perdón del cielo y la salvación de su alma. He aquí la grandeza de este nuevo don Juan que rompe con todos los donjuanes anteriores para hacerse, no más lógico y verosímil, sino, por el contrario, más paradójico y contradictorio, más irracional e inverosímil, cobrando con ello la auténtica categoría de un mito, mito moderno de gran fuerza creadora, que resuelve mágicamente —como todos los mitos— las oposiciones dialécticas de la conciencia intelectual.

(José Luis Abellán, *Historia crítica del pensamiento español,* V, Círculo de Lectores, Barcelona, 1993, pág. 305).

TALLER DE LECTURA

Una lectura atenta nos permitirá profundizar en muchos de los aspectos básicos del *Tenorio*. Se trata de realizar una investigación sobre el propio texto fijándonos en aquellos detalles que sirvan para comprender los procesos de creación de la obra. De esta manera, es conveniente que los alumnos, a la hora de estudiar el texto, vayan anotando aquellas consideraciones que les parezcan dignas de interés, siguiendo las pautas marcadas en este taller de lectura.

1. ARGUMENTO

Seguramente todos conocemos, a grandes rasgos, el argumento de *Don Juan Tenorio,* sin embargo, podemos fijarnos en su disposición concreta para analizar los momentos claves distribuidos en planteamiento, nudo y desenlace.

1.1. *Planteamiento*

Una de las claves para el éxito del *Tenorio,* se encuentra en la dinamicidad y perfecta construcción dramática de la obra.

— ¿Cómo plantea Zorrilla la obra?
— ¿Qué actos y escenas son los más representativos de esta parte?

— ¿Dónde se nos muestra don Juan?
— ¿Juega Zorrilla con el suspense del espectador en el planteamiento?
— ¿Qué acciones o palabras claves son las que mejor realizan este planteamiento de la obra?

1.2. *Nudo*

El nudo aglutina la mayor parte de la obra y presenta los conflictos fundamentales que la generan. Zorrilla ha sabido dotar a la obra de un perfecto entramado teatral anunciando alguno de estos conflictos en la presentación.

— ¿Podrías indicar qué elementos del nudo o conflictos de la obra se «avisan» en el planteamiento?
— *Don Juan Tenorio* no tiene una única línea argumental sino que ofrece varios centros de interés que obligan a don Juan a diversificar su campo de actuación. ¿Cuáles son esos centros de interés? ¿Qué personajes los representan? ¿Qué importancia tiene cada uno de ellos en el desarrollo de la obra? ¿Qué significado aportan para comprender el desarrollo temático?
— El nudo ocupa gran parte de los actos y escenas de la obra. Indica cuáles serían los actos y escenas en que se desarrolla.
— ¿El comienzo de la segunda parte seguiría siendo parte del nudo o se puede incluir ya en el desenlace? ¿Por qué? Piensa si esta segunda parte introduce algún conflicto nuevo y cómo lo plantea Zorrilla.

1.3. *Desenlace*

El desenlace supone la solución de todos los conflictos planteados.

— ¿Es así en el *Tenorio* o se han solucionado antes alguno de ellos?

— ¿Qué conflicto es el más importante de la obra y queda su solución para el final?

— ¿Te parece convincente la solución que aporta Zorrilla?

— ¿Qué escenas, momentos y versos son los que incluyen los detalles del desenlace?

1.4. Este análisis se puede completar con otras dos actividades que permitan profundizar en la construcción argumental de la obra.

— Una enumeración detallada de las acciones, por ejemplo: situación inicial en la hostería con la carta; Ciutti y Buttarelli hablan de don Juan; la apuesta; don Gonzalo llega a la hostería, etc.

— Un resumen de todas estas acciones, indicando las más importantes para el desarrollo de la obra.

2. Personajes

El éxito del *Tenorio* se encuentra fundamentalmente en la muestra de personajes. La mayoría de los críticos han señalado, sin embargo, su escasa caracterización, pero esto les ha permitido superar la mera dimensión de personajes para alcanzar la categoría de símbolos que, en el caso de don Juan es, como todos sabemos, uno de los principales mitos de la literatura.

2.1. *Don Juan*

Es el verdadero aglutinador de todas las acciones y de quien dependen todos los demás personajes. El personaje de don Juan reúne en sí varios aspectos que le caracterizan y que son los que le han ido enmarcando en desarrollo mítico.

Uno de estos rasgos es el valor, la valentía, la carencia de miedo frente a los hombres y frente a lo sobrenatural. Este rasgo lo podemos encontrar de dos formas distintas:

a) En las palabras de los demás.

— ¿Cómo nos le presenta, por ejemplo, su criado y Buttarelli al principio de la obra? Señala las palabras que aludan a ese rasgo de valentía.
— Este mismo aspecto lo podemos ver en boca de otros personajes: don Luis, el capitán Centellas y sus amigos, Brígida, e incluso en boca de don Gonzalo. Indaga en sus intervenciones e indica qué términos o actitudes son las que destacan este rasgo.
— La valentía frente a lo sobrenatural tiene su principal momento en la segunda parte: ¿Cómo nos lo muestra el sepulturero? ¿Qué palabras de Centellas y Avellaneda insisten en este detalle durante la cena?

b) En las propias palabras de don Juan. Don Juan es un bravucón que se jacta con frecuencia de su arrojo y valentía. Estas «bravuconadas» tienen tres líneas fundamentales de actuación.

— Frente a las cosas y personas del mundo. ¿Dónde se ve esta actitud de don Juan? ¿Está ya en las primeras palabras que abren la obra? ¿Qué otras intervenciones suyas insisten en esta línea?
— Frente a las conquistas de las mujeres. Además de las expuestas en la carta, don Juan se jacta de que no hay ninguna mujer que se le pueda resistir. ¿Qué famosos versos lo señalan así?
— Frente a lo sobrenatural. Éste es uno de los aspectos fundamentales de la obra y lo que más ha contribuido a su éxito. Procede, como hemos visto en la Introducción, de otras obras anteriores, pero en el *Tenorio* de Zorrilla

alcanza las más altas cotas impulsado por el hálito del romanticismo. Aunque este rasgo encuentra su desarrollo completo en la segunda parte, ya en la primera vemos su jactancia frente a lo sobrenatural. Fíjate, por ejemplo, en el final de la escena XII del primer acto o en los versos finales de la primera parte. En la segunda parte, esta jactancia frente a lo sobrenatural se acrecienta y en las intervenciones de don Juan se ve con frecuencia. ¿Qué versos lo indican? ¿Qué palabras son las utilizadas por don Juan para manifestar su arrojo frente a Dios o el infierno?

2.2. *Doña Inés*

Zorrilla vio en doña Inés uno de los mejores personajes de su *Don Juan Tenorio.* (Véase Documentación complementaria, 2.); pero para ello se basaba fundamentalmente en cuestiones de índole moral y no literarias. Doña Inés introduce uno de los aspectos relevantes del drama de Zorrilla como es la salvación de don Juan por el amor, quizá el rasgo más típicamente romántico de la obra.

Como en el caso de don Juan, doña Inés se presenta en la obra desde dos perspectivas básicas:

a) A través de las palabras de los demás.

— La presentación que hace Brígida (acto II, escena IX) ofrece una clara antítesis entre el mundo interior del convento y el exterior, ¿cómo se manifiesta esta antítesis? ¿qué términos y metáforas utiliza Brígida para dibujar el mundo de doña Inés? Casi el mismo tono es el que emplea la abadesa (acto III, escena I) pero con la diferencia fundamental de sus intenciones, ¿cómo se manifiestan éstas en ambas mujeres?, ¿qué expresiones alientan la perversión y la libertad de Brígida frente a la imagen tradicional del convento que defiende la Abadesa? Pero incluso en las palabras de la Abadesa, Zorrilla ha ido intercalando ciertas expresiones que justifican la idea de libertad, ¿cuáles son?, ¿coinciden en algún caso con las de Brígida?

— También don Juan, en su evolución dramática, nos presenta una imagen de doña Inés idealizada. De un simple reto o apuesta —véanse los versos en que lo hace en la escena XII del acto I— hasta una imagen altamente impregnada de hiperbólico romanticismo en la famosa carta y en su casa en la escena III del cuarto acto. ¿Con qué elementos de la naturaleza la compara? ¿Qué exclamaciones emplea don Juan para cercar el amor de doña Inés?

b) A través de su actitud, ya que este rasgo es el factor que caracteriza y define al personaje de doña Inés y lo que lleva a Zorrilla a considerarla *un destello de la doble luz que Dios ha encendido en el alma del poeta: la inteligencia y la fe.*

— El primer acercamiento a la figura de don Juan es por la compasión. Fíjate, por ejemplo, en los versos 1570-1580. Si bien es cierto que, como han destacado muchos críticos, el amor de doña Inés surge «demasiado rápido», inmediatamente se descubre que es un amor sincero. ¿Qué respuestas físicas —desmayos, sobresaltos, etc.— lo manifiestan? ¿Qué términos indican la «fascinación» de doña Inés por don Juan a lo largo de la escena de la carta?

— El amor de doña Inés se explicita claramente en las primeras escenas del cuarto acto (vv. 2100-2130 y 2224-2259) ¿Cómo se gradúa esta entrega desde el primer al último verso de los señalados? ¿Qué trabas pone inicialmente para luego romperlas definitivamente? ¿Qué palabras se repiten en todas las intervenciones de doña Inés para indicar su dependencia de don Juan?

— Pero el momento crítico, donde de verdad se muestra toda la grandeza y generosidad de la mujer es en los momentos finales de la obra. Fíjate en los versos de la escena III del último acto y comenta los rasgos que consideres más importantes para destacar la intervención de doña Inés en la salvación de don Juan.

2.3. *Don Gonzalo. Don Diego*

Estos personajes desempeñan también en la obra un papel fundamental pues representan dos de las instituciones y poderes establecidos por la sociedad contra los que se enfrenta la libertad de don Juan. Don Gonzalo es el padre de doña Inés, y don Diego lo es de don Juan. Ambos, por tanto, son el símbolo claro de la familia, como núcleo social más firmemente arraigado en la tradición.

— Sus intervenciones en el primer acto intentan demostrar este vínculo como sagrado e inalienable. ¿Cómo se manifiesta en boca de don Gonzalo?, ¿y en don Diego?
— Don Gonzalo es, además, Comendador de la Orden de Calatrava, una de las más prestigiosas en la sociedad del siglo XVI español. ¿Qué poderes tenían los comendadores de esta orden según se ve en la escena VI del acto III?
— La escena IX del acto IV es uno de los momentos críticos de la obra. En ella se enfrentan la dignidad de don Gonzalo y la de don Juan. ¿Cómo se expresa este conflicto? ¿Qué insultos utiliza don Gonzalo para referirse a don Juan? ¿Cómo le replica don Juan?
— El momento crítico de este personaje tiene también su culmen en las escenas finales del cementerio. Indaga con detenimiento si Zorrilla le salva o le condena. ¿Cómo se muestra la figura de «justiciero» de don Gonzalo?

2.4. *Brígida*

Es un personaje emparentado con una larga tradición literaria: la de la alcahueta o celestina. Compárala, por ejemplo, con la figura de la Trotaconventos de *El libro de buen amor,* del Arcipreste de Hita, y con la Celestina de Fernando de Rojas. Como ellas, se deja sobornar por el dinero —fíjate en los vv. 1342-1345—, pero, sobre todo, posee una especial facilidad de palabra para convencer a la inocente doña Inés.

— ¿Qué «trucos» psicológicos utiliza Brígida para embaucar a doña Inés en la escena III del acto III?
— ¿Cómo gradúa sus intervenciones?
— Fíjate en cómo va intercalando el nombre de don Juan a lo largo de la escena de la misma manera que lo hace la Celestina con Calisto en sus diálogos con Melibea.

2.5. *Don Luis Mejía*

La figura de don Luis tiene en la obra un claro matiz de antagonista para destacar aún más la figura del protagonista, de don Juan.

— ¿Cómo enfrenta Zorrilla a ambos personajes en la escena XII del primer acto?
— Toda esta escena está plagada de paralelismos para acentuar dicho contraste; señálalos e indica qué aspecto introduce cada uno de ellos.
— Además, don Luis se convierte también en una víctima de don Juan al apostar a doña Ana, la prometida de don Luis. ¿Qué función dramática desempeña esta conquista en el desarrollo de la acción? ¿Cómo se potencia la valentía y satanismo de don Juan con la muerte de don Luis?

2.6. *Ciutti*

Se relaciona con la figura del gracioso de la comedia del XVII pero apenas posee los rasgos definitorios de este personaje. En el don Juan es un mero pero eficaz criado que prepara las acciones de su señor.

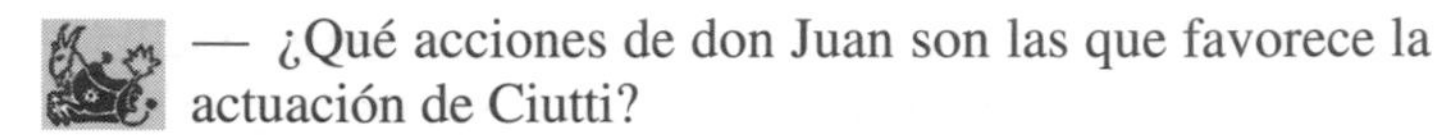

— ¿Qué acciones de don Juan son las que favorece la actuación de Ciutti?

3. ESPACIO

Los espacios en los que se desarrolla la acción de la obra cuadran perfectamente en el marco del teatro romántico.

— Construye un breve cuadro sinóptico donde se vean los espacios en relación con las escenas y actos de la obra.

— ¿Corresponde cada acto a un espacio distinto?

El primer espacio, la hostería, juega constantemente con los paralelismos y los contrastes.

— ¿Cómo se manifiesta esto en la disposición espacial de los personajes?

— Dibuja un pequeño croquis de cómo se podría representar espacialmente este acto.

Fíjate en la acotación que define la calle esquinada del segundo acto.

— ¿Qué acciones tienen lugar en ese acto? ¿Son estáticas o dinámicas?

—¿Qué importancia tienen para el desarrollo de la acción?

—¿Cómo se crea el misterio, el suspense, los equívocos y el clima romántico de ese espacio?

En el acto tercero, el exterior se transforma en interior.

— ¿Tiene esto alguna relación con el tipo de acontecimientos que ahora suceden? ¿Domina lo dinámico o lo estático?
— ¿Se vincula el intimismo con el espacio cerrado? ¿Cómo se manifiesta?
— Fíjate en el título del acto —«Profanación»— y vincúlalo con lo sucedido en ese espacio.

El poder de don Juan se manifiesta, sobre todo, en su casa, en el cuarto acto.

— ¿Qué acciones lo demuestran?
— ¿Cómo reacciona doña Inés al saberse dentro de la casa de don Juan? ¿Cómo evoluciona?
— ¿Cómo describe don Juan el marco natural en que se encuentran?

Pero es en la segunda parte donde se muestra con toda su fuerza el espacio romántico: el cementerio.

— Fíjate en la acotación inicial que lo describe y en el aire fantasmagórico que domina.
— ¿Qué variaciones se producen en las diferentes escenas del acto I?
— ¿Cómo ve don Juan este espacio en los vv. 2831-2835?

Tras el segundo acto, en casa de don Juan, nuevamente el tercero y último, vuelve a la imagen del cementerio acrecentando el aire de terror.

— ¿Cómo lo expone Zorrilla?
— Fíjate, por ejemplo, en la acotación final de la escena I. ¿Cómo potencia el autor esta sensación romántica de misterio por medio de la iluminación y el sonido?

4. Tiempo

4.1. *Externo*

La obra está centrada en siglo XVI, tal como indica la acotación inicial. Con esto sigue la tradición de *El Burlador de Sevilla.* Tirso de Molina sitúa la acción en el siglo XIV, aunque, como la de Zorrilla, se traslada, con valor simbólico, a la actualidad en que vive.

Este marco histórico se mantiene, en general, en las diferentes referencias históricas que se hacen a lo largo de la obra. Fíjate, por ejemplo, en los vv. 265, 449 y 540. Pero en otra ocasión —v. 595— se produce un claro anacronismo.

— Indaga los acontecimientos históricos a que se refieren esos versos y construye un breve cuadro sinóptico de los sucesos más relevantes de la época en que está situada la obra.

4.2. *Interno*

Toda la primera parte ofrece una extrema concentración del tiempo, tal que le hizo decir a Zorrilla que las horas de su *Don Juan* duraban doscientos minutos (véase la nota al v. 1433). Las acotaciones y las intervenciones de los personajes van marcando este paso del tiempo.

— ¿Cómo lo indican las acotaciones y las intervenciones?
— ¿Cuánto tiempo transcurre en esta primera parte?

— ¿Por qué piensa Zorrilla que es imposible que sucedan todas las acciones de la primera parte en ese tiempo?
— ¿Qué ritmo provoca Zorrilla en esta primera parte?
— ¿Cómo se reflejan el estatismo y el dinamismo de la obra?

La segunda parte sucede cinco años más tarde y también dura una noche, según indica en la acotación inicial de la obra. Don Juan vacila, entre la confusión y el delirio, entre la rebeldía y la salvación.

— ¿Cómo se alternan, en esta segunda parte, la reflexión estática de don Juan frente a la violencia y la tensión?

En las últimas escenas se anuncia constantemente la existencia de un plazo.

— ¿Qué versos lo indican?
— ¿Cómo influye eso en la perspectiva temporal de la obra?
— La mesa de don Gonzalo incluye, entre otros objetos inquietantes, un reloj de arena. ¿Qué función desempeña? ¿Incrementa la tensión su presencia o es un mero objeto decorativo? ¿Crees que posee algún significado simbólico?

5. Estructura

La estructura del *Don Juan Tenorio* está caracterizada por la libertad típica del drama romántico, aunque posee una excelente construcción teatral y una trama bien construida, dinámica y ágil.

5.1. *Externa*

Externamente se presenta en dos partes: la primera posee cuatro actos y la segunda, tres. Esta división, a su vez, viene determinada por los acontecimientos y por el tiempo: ambas partes —dos noches, como hemos visto— están separadas por un tiempo de cinco años.

— ¿Se puede considerar, por tanto, que Zorrilla mantiene la unidad de tiempo de la preceptiva clásica?
— Cada uno de los actos tiene, a su vez, un variado número de escenas. ¿Cuántas tiene cada acto? ¿Cuál es el más largo? ¿Por qué? ¿Y el más breve?

5.2. *Interna*

La estructura interna muestra una perfecta trabazón de todas las partes, intercalando hábilmente los diferentes pasajes y situaciones de la obra.

Primera parte.
a) El primer acto presenta el conflicto y lo hace de una forma totalmente teatral: la disposición paralela de los personajes en escena, los dos burladores frente a los dos «padres», las dos listas, la repetición de versos, etc.

— Realiza un esquema de este acto donde se vea la interrelación entre los distintos personajes y la situación planteada.
— Sin embargo, al final del acto, explota el conflicto de una manera abierta y directa. ¿Qué escenas ocupan ese conflicto final? ¿Cómo se estructura? ¿Cómo resuelve los diferentes paralelismos haciendo coincidir toda la tensión sobre don Juan?

b) El segundo acto se centra en dos acciones claves, ¿cuáles son?

— Zorrilla vuelve a disponer algunas escenas de forma paralela. ¿Cuáles? ¿Por qué?
— Sin embargo, las dos acciones —que se centran en la conquista de ambas mujeres— no están linealmente presentadas, sino que se intercalan. ¿Qué efecto produce? ¿Qué palabras de don Juan nos muestran la diferente actitud de ambas conquistas?
— En este segundo acto, se preludia todo el desarrollo posterior de la obra. ¿Dónde?
— R. Navas Ruiz señala que estos actos se podrían definir como la presentación de un don Juan *burlador*, frente a los dos siguientes donde se muestra como *seductor*. ¿Estás de acuerdo? ¿Por qué?

c) El tercer acto se centra en la conquista de doña Inés.

— ¿Qué diferencias estructurales ves con respecto a los anteriores?
— ¿Ha evolucionado ya la figura de don Juan?
— ¿Te parece bien conseguido el juego de entradas y salidas de escena?
— Nuevamente en este acto nos podemos encontrar con dos escenas paralelas. ¿Cuáles son?
— ¿Qué pretende Zorrilla al colocar simétricamente los discursos de la Abadesa y Brígida?
— ¿Qué coincidencias y diferencias hay entre ambas?
— ¿Y de los discursos de éstas con la carta de don Juan?
— Enumera en listas paralelas los rasgos coincidentes y diferentes entre los tres mensajes.

d) En el cuarto acto se pueden distinguir dos núcleos básicos de interés.

— ¿Cuáles son?
— ¿Qué escenas ocuparían cada uno de ellos?

— El primero se relaciona con los anteriores, y el segundo, sin embargo, preludia la segunda parte. ¿Por qué?
— ¿Podríamos afirmar que este acto es, verdaderamente, el de *el amor y la muerte?* Explícalo.

La segunda parte se centra en el tema de la muerte, preludiado en el final del acto anterior, y es el que aporta el más fantástico tono romántico. Sin embargo, la distribución en tres actos ofrece una clara alternativa entre la reflexión y la violencia, el suspense y la muerte.

— ¿Qué actitud muestra don Juan en cada uno de los actos? ¿Cómo se contraponen?
— ¿Cómo se distribuyen los golpes en la puerta para crear la tensión del segundo acto?
— El tercer acto, el más breve, se dispone también de una forma antitética, contraponiendo la figura de don Gonzalo y la de doña Inés. ¿Cómo se enfrentan la condenación y la salvación? ¿Qué versos lo expresan? ¿Dónde se encuentra el momento culmen de la salvación?
— Pero la salvación no se produce únicamente en este tercer acto de la segunda parte. Viene ya preludiada de antes. ¿Dónde? Fíjate, por ejemplo, en el diálogo con don Gonzalo al final del acto cuarto de la primera parte, en la escena del escultor y al comienzo de este acto tercero.
— Con este análisis, realiza un esquema del desarrollo de la obra interrelacionando las diferentes acciones y personajes.

6. Los temas y el sentido

Aunque muchos de los aspectos temáticos se han ido ya intercalando en las preguntas anteriores, hay otros aspectos que conviene investigar para comprender mejor el significado de la obra.

6.1. *El amor*

Es el tema central de la obra y se centra en la relación entre don Juan y doña Inés. El amor se presenta en la obra de una forma dinámica y es una de las claves de la transformación de don Juan.

— Busca en la obra los momentos en los que don Juan habla sobre o con doña Inés y gradúa el tipo de relación que mantiene con ella. ¿Qué opinión te merece su entrega amorosa en el momento en que escribe la carta? ¿Y cuando habla con Brígida? ¿Y cuando rapta a doña Inés?
— La disposición amorosa de don Juan tiene un punto de inflexión especial en el final del cuarto acto. ¿Cuál es? ¿Qué le lleva a hacer su entrega amorosa?
— ¿Cómo se enfrenta en la obra el conflicto entre el honor de valiente y la pasión amorosa? Señala los versos donde se ve claramente este conflicto.
— El momento cumbre de la relación amorosa tiene lugar en la segunda parte. ¿Cómo ve don Juan a doña Inés en ese momento? ¿Cómo se vuelve a plantear el conflicto entre amor y valentía en las escenas tercera, cuarta y quinta del primer acto? ¿Quién salva a don Juan: el amor de él hacia doña Inés o el de doña Inés a don Juan?
— Pero si el amor de don Juan vive en perpetuo conflicto, el de doña Inés se muestra puro y entregado casi desde el momento en que aparece en escena. ¿Te parece bien justificado el amor inicial de doña Inés?
— Una de las escenas claves de esta pasión amorosa de doña Inés se produce en el momento de la carta. ¿Cómo gradúa Zorrilla la entrega de doña Inés? ¿Qué versos de don Juan hacen más mella en su estado de ánimo?
— Cuando doña Inés se encuentra en la casa de don Juan, lo primero que desea es salir de allí. ¿Qué le incita a ello? ¿Qué conflicto interior se plantea en su ánimo?

— En la segunda parte, una vez muerta, doña Inés adquiere el protagonismo y la actividad que no había tenido en el resto de la obra. ¿Cómo se manifiesta esta actividad? ¿Qué idea defiende en el parlamento de la escena cuarta del primer acto?
— En las últimas escenas, doña Inés vuelve a tomar la iniciativa. ¿Cómo se expresa? ¿Cómo arrastra a don Juan? ¿Qué argumentos utiliza para salvarle?
— En esta relación amorosa, Brígida, la alcahueta, desempeña un papel primordial. En teoría, la soborna don Juan para conquistar a doña Inés. ¿Es así realmente? Fíjate en el momento en que se encuentran en la calle y en la imagen que vende de doña Inés. ¿Cómo reacciona don Juan ante sus palabras? Brígida «vende» también la imagen de don Juan a doña Inés. ¿Cómo gradúa sus intervenciones para que don Juan se convierta en la pasión de doña Inés?
— La pasión amorosa reflejada a lo largo de la obra utiliza como referencia metafórica constante la alusión al fuego y al volcán. Investiga las veces que esto sucede y comenta estas metáforas en el marco de cada una de las acciones. ¿Cómo se relaciona la metáfora del fuego con doña Inés? Fíjate, especialmente, en el momento de la carta.
— La fuga del convento se explica posteriormente por un fuego que estaba a punto de abrasar a doña Inés. ¿Entiendes esa situación como un símbolo de la relación amorosa apasionada?

6.2. *El poder establecido*

La actitud romántica de don Juan se basa también en mostrarse como el símbolo de la lucha contra el poder establecido. Son varios los frentes contra los que Zorrilla opone la independencia de don Juan.

a) La familia

— Su padre, don Diego, y el padre de doña Inés, don Gonzalo, representan lo tradicional, lo establecido. Don Juan se enfrenta a ellos sin importarle nada los valores reconocidos socialmente. Fíjate en las escenas del primer acto que así lo manifiestan. ¿De qué le acusan ambos a don Juan? ¿Cómo se defiende éste? ¿Qué actitud adopta?
— En un momento determinado, en la escena XII, don Juan comete un acto que supone la mayor afrenta a un padre. ¿Cuál es? ¿Cómo se expresa la ofensa de don Diego? ¿Y la respuesta de don Juan?
— Don Gonzalo reúne en sí la figura de padre de doña Inés y la de Comendador de la Orden de Calatrava. El enfrentamiento con don Juan alcanza su grado máximo al final del cuarto acto. ¿Qué insultos le profiere don Gonzalo? ¿Cómo replica don Juan?
— También doña Inés se muestra, como heroína romántica, contraria a la opresión familiar. Si bien es cierto que duda —como hemos visto al principio del cuarto acto—, su pasión amorosa se encuentra por encima de la trabas familiares. ¿Dónde se manifiesta expresamente? ¿Qué versos de las últimas escenas de la segunda parte muestran la superación del amor por encima de la obediencia debida al padre?

b) El poder

— La actitud de Zorrilla frente a los poderes establecidos es también un claro reflejo del romanticismo de la obra. Don Juan no respeta ninguno de los valores sociales establecidos. Fíjate en los famosos versos que acompañan la explicación de su lista. Pero en estos versos también viene implícita la superación de la tradicional diferencia de clases. ¿Cómo se expresa esta idea?

— Sin embargo, es en los breves apuntes de las escenas que cierran el primer acto donde la justicia queda peor parada. ¿Qué sucede? ¿Cómo se libran de la cárcel ambos contendientes?
— En el teatro del Siglo de Oro, el supremo representante de la justicia era el rey. El mero hecho de que no aparezca por ningún sitio ni nadie se acuerde de él para impartir justicia es ya indicativo de su escasa importancia social. Algunos versos de don Juan en los que desprecia su papel así lo atestiguan. Véanse, por ejemplo, los vv. 2480-2483.

6.3. *El satanismo*

El satanismo de don Juan es, en primer lugar, uno de los mejores ejemplos del clima romántico de la obra. Todo el drama está cuajado de citas y referencias a la actitud diabólica de don Juan. Pero ello conlleva también un aspecto fundamental en el entramado de la obra como es el enfrentamiento entre Satán y Dios, el bien y el mal, lo que, como afirma Valera, le acerca a la estructura trascendente del Auto Sacramental.

— Casi todos los personajes aluden, en un momento u otro, a la categoría diabólica de don Juan. Don Gonzalo y don Diego no dudan en identificarlo con él. Fíjate, por ejemplo en el final de la escena doce del primer acto. ¿Qué versos lo indican? En esta misma escena aparece ya la contraposición con Dios. ¿Qué palabras de don Diego parecen anunciar el desarrollo de este conflicto en la obra?
— La victoria sobre don Luis sólo puede justificarse con el apoyo del diablo, o así lo cree éste. Busca y comenta los versos que lo indican en las escenas segunda y tercera del segundo acto. Brígida también le considera un diablo. Ciutti, en la escena del cuarto acto, le define también como ser diabólico. El escultor, al inicio de la

segunda parte, le llama Lucifer. ¿Qué versos lo indican? ¿Qué crees que pretende Zorrilla con esta acumulación de alusiones satánicas a sus acciones?
— Pero lo más representativo de este satanismo se encuentra en boca de doña Inés. Tres momentos claves así lo indican. Búscalo en la escena de la carta, en el inicio del cuarto acto y, sobre todo, en una de las intervenciones de doña Inés en la escena tercera de este mismo cuarto acto. También en esta escena, por medio de la réplica de don Juan, se contrapone lo divino a lo satánico. ¿Dónde se ve? ¿Cómo lo expresa don Juan?
— Hasta el propio don Juan se ve a sí mismo como diabólico y no sólo no reniega de ello, al menos al principio, sino que se jacta. Fíjate, por ejemplo, en el diálogo con Brígida. El propio Zorrilla le asigna esta función satánica. ¿Cómo se titula el acto cuarto? ¿Se ve en él la antítesis entre el bien y el mal? Sin embargo, en la segunda parte, lo diabólico se transforma en divino. Busca esta contraposición en la segunda parte y comenta los versos que lo indican.

7. La forma expresiva

Como afirma J. Casalduero, «al leer *Don Juan Tenorio*, la primera impresión que se tiene y la más insistente es la de movimiento, acción y dinamismo». Todo ello está conseguido por una perfecta adecuación de las acciones y del ritmo marcado en cada una de ellas.

7.1. *Tipos de diálogos*

En la construcción dramática de la obra, podríamos distinguir varios tipos de diálogos que, alternándose adecuadamente, generan ese ritmo vivo que la caracteriza.

Diálogo explicativo: tiene la función de presentar a los personajes, indicar los pasos de alguna acción determinada y preparar el desarrollo posterior de los acontecimientos.

— La obra se abre con uno de éstos. ¿Qué diálogos del mismo tipo podrían encontrarse en el resto de la obra? Fíjate, por ejemplo, en la mayoría de los que tienen lugar en el segundo acto.

Diálogos de conflicto: son los que enfrentan a personajes con posturas contradictorias y que, por medio de un lenguaje tenso y violento, crean el efecto dramático. En el primer acto, se pueden señalar los que tienen lugar entre don Luis y don Juan, y entre éste y don Gonzalo y don Diego. Es una de las formas dialogadas que más abunda en la obra.

— ¿Qué personajes se enfrentan en otros diálogos parecidos? ¿Qué conflicto plantean? ¿Cómo se intercalan en el desarrollo de la acción?

Diálogos de intención amorosa: son los que se producen entre don Juan y doña Inés.

— Fíjate cómo cambia el tono de la obra. ¿Se ralentiza o dinamiza la acción? ¿Cómo se pasa del conflicto externo al interno en estos diálogos?

Diálogo reflexivo: dos personajes intercambian puntos de vista sobre cuestiones más trascendentes, sin provocar el dinamismo de la acción.

— Fíjate en el diálogo con el escultor. ¿Cómo se estructura ese diálogo? ¿Qué aspectos abordan ambos personajes? ¿Qué función desempeña en el conjunto de la obra?

Monólogo reflexivo: sirve para que los espectadores conozcamos el interior de un personaje. Hay varios en la obra y pretenden un proceso de introspección que canaliza la intención íntima del personaje.

— La mayoría de estos diálogos están en boca de don Juan. ¿Cuáles son? ¿Qué posturas vitales de este personaje conocemos a través de estos monólogos?
— El contraste se encuentra en algunos monólogos de doña Inés. ¿Qué aspectos íntimos de doña Inés conocemos en sus palabras?

Monólogo explicativo: pueden referirse al mismo personaje que habla pero sin abordar cuestiones personales sino externas.

— Podrían ser, por ejemplo, las exposiciones de las conquistas en boca de don Juan y don Luis. ¿Cómo se estructura cada uno de ellos? ¿Qué intención tienen ambos?
— En otras ocasiones, este monólogo, puesto en boca de otras personas, se centra en valoraciones sobre los protagonistas. Fíjate, por ejemplo, en algunas intervenciones de Brígida o la Abadesa. ¿Qué tema tratan? ¿Qué es lo que quieren transmitir al espectador?

Un caso especial en la forma dramática de la obra es la carta, sin lugar a dudas uno de los grandes hallazgos formales de la obra.

— En ella se intercalan la expresión de la vivencia personal más íntima con la valoración interesada de Brígida. ¿Cómo se construye? ¿Qué intervenciones de Brígida van rompiendo la lectura? ¿Cómo se relacionan con las de doña Inés? ¿Qué efecto escénico produce este juego «a tres» que caracteriza la escena?

7.2. *Contrastes y paralelismos*

Casi toda la obra se encuentra dispuesta en forma paralela, generando una situación de contraste perpetuo entre personajes, acciones y palabras.

— Un ejemplo muy característico es el primer acto. ¿Qué situaciones se presentan de forma paralela? ¿Qué personajes las representan? Busca las construcciones paralelas en el lenguaje de este primer acto y comenta el grado de tensión y conflicto que suponen.
— El paralelismo se vuelve a dar en el segundo acto. ¿Quiénes son los personajes de los diálogos? Y asimismo, en el tercero y cuarto. Analiza cómo se contrastan las opiniones de las mujeres en el tercero y cómo se incrementa la tensión en el final del cuarto por medio de las construcciones paralelas.
— En la segunda parte, Zorrilla vuelve a la construcción paralela y de contraste con la intercalación de las escenas en que aparecen la sombra de doña Inés y la estatua de don Gonzalo. ¿Cómo se distribuyen? ¿Qué efecto dramático consiguen?

7.3. *Métrica*

La métrica del *Don Juan Tenorio* no es de las más ricas del teatro en verso. Antes bien, se presenta con una gran sencillez formal que algunos críticos han considerado como una de las claves de su éxito.

— Dominan las redondillas. Busca alguna y analiza su estructura. Haz lo mismo con otras formas estróficas como la quintilla, el romance o la décima.
— Una de las formas más extrañas es la de los ovillejos. Indaga en qué consiste y estudia su construcción en los versos empleados por Zorrilla.

— Las décimas son empleadas por Zorrilla en tres momentos claves de la obra. ¿Por qué crees que lo hace el autor? ¿Qué pretende al emplear una estrofa más compleja y «seria»?
— El inicio del tercer acto de la segunda parte tiene también un metro distinto. ¿Cuál es? ¿Por qué lo utiliza Zorrilla? ¿Qué efecto produce?

Evidentemente, todos los detalles analizados en esta guía de lectura supondrían un trabajo excesivo para los alumnos. Por tanto, un buen estudio de *Don Juan Tenorio* se puede realizar en equipo, de tal manera que cada uno de los equipos de alumnos formados investigue y redacte uno de los puntos expuestos y prepare un exposición oral en clase sobre su trabajo. De esta manera se consigue un triple objetivo didáctico: la investigación, la expresión oral y el aprendizaje, tanto para los que han realizado la investigación como para los que escuchan sus resultados.

ACTIVIDADES COMPLEMENTARIAS Y DE CREACIÓN

1. Evidentemente, a lo primero que se presta el *Tenorio* es a su representación escénica. Si no se puede llevar a cabo la obra completa, se puede seleccionar algún acto —por ejemplo, el primero— y programarlo para representarlo en el aula. Para hacerlo no basta con tener el texto delante, sino que hay que organizar todo lo necesario para la puesta en escena. Habría que organizar diferentes equipos encargados de:

—iluminación, para resaltar los momentos y detalles por medio de la luz.

—vestuario, para acercarse lo más adecuadamente posible a la época.

—atrezo, para recoger y tener preparados todos los objetos necesarios en escena.

—escenografía, para crear un mínimo ambiente.

—dirección, con el fin de dirigir el movimiento de actores, la dicción, la interpretación, etc.

—actores.

Con los datos que todos aporten, se debe redactar el cuaderno básico en el que se indicarán cuantos detalles sean necesarios para la representación: objetos, luces, movimientos de personajes, intenciones dramáticas en las palabras, etc. Sólo faltan unos cuantos ensayos y a representarlo.

2. Un buen estudio léxico —que todavía está sin hacer— del *Don Juan* nos llevaría a indagar en la terminología empleada por Zorrilla. Se puede realizar un glosario de los términos más usuales empleados por el autor en la obra que se podrían agrupar por temas: amor, satanismo, divinidad, honor, valor, fantasía, etc. Sin lugar a dudas, ello contribuiría notablemente a la comprensión y estudio de la mentalidad romántica.

3. Los problemas de don Juan se pueden adaptar a las circunstancias modernas y plantear a los alumnos algunas cuestiones como: ¿Qué les parece el personaje? ¿Y doña Inés? ¿Se da o podría dar en la actualidad?

4. Una actividad interesante sería acudir a alguna de sus representaciones como la que se mantiene en Alcalá de Henares (Madrid), en torno a la festividad de Todos los Santos, y que tiene el aliciente añadido de ser al aire libre e itinerante, con lo que se potencia su valor popular.

5. Tampoco es difícil la construcción de algún diálogo que emule o bien la famosa carta o bien el diálogo entre doña Inés y don Juan en casa de éste. Si se puede mantener el verso, mejor, pero si no, se puede prosificar la redacción. Esta «versión» personal de los alumnos podría adoptar la fórmula que mejor

les pareciera: el mismo tono declamatorio o el de la parodia, como otros autores han hecho ya.

6. Como complemento, se puede investigar la influencia de *Don Juan Tenorio* en algunas de las obras que han seguido tratando el mito, uno de los más ricos de la literatura: *Don Juan en los infiernos,* de Baudelaire (llevado al cine magistralmente por Gonzalo Suárez); el Marqués de Bradomín de las *Sonatas,* de Valle Inclán; *Don Juan,* de Azorín, una versión sugerente del mito; *El hermano Juan,* de Unamuno; *Hombre y superhombre,* de Bernard Shaw; *Don Juan de Mañara,* de Antonio y Manuel Machado; *El burlador que no se burla,* de J. Grau; la interpretación psiquiátrica de Marañón en su *Don Juan; La Don-Juanía,* de Salvador de Madariaga; la excelente novela de Torrente Ballester *Don Juan,* donde le identifica con el diablo; o la sugerente obra de Francisco Nieva, *Catalina del demonio.*